Marie-Julie JAHENNY

la stigmatisée bretonne

ASSOCIATION DES AMIS
DE MARIE-JULIE JAHENNY

Une association des Amis de Marie-Julie a été fondée en 1958 dans le but de réunir les fonds nécessaires pour :

1. — acquérir la chaumière et le petit jardin où Marie-Julie a vécu.
2. — une fois cette acquisition faite, restaurer et entretenir la chaumière.
3. — maintenir le souvenir de la pieuse stigmatisée.
4. — réunir et dépouiller tous les documents concernant Marie-Julie en vue de préparer les dossiers en vue de l'Introduction éventuelle de la Cause de la pieuse stigmatisée en Cour de Rome.

Cotisations :

- Adhérent, minimum 10 frs
- Bienfaiteur, minimum 20 frs
- Fondateur, minimum 100 frs

Pour assurer la présence rémunérée d'une Secrétaire, l'Association demande à ceux de ses Membres qui le peuvent de s'engager à faire un versement mensuel.

Les deux premiers buts étant présentement impossibles à réaliser, du fait que la chaumière est possédée par un particulier qui de par la donation qu'il en a reçue ne peut ni la céder, ni en faire l'apport, l'Association — en vertu de la loi — ne peut recevoir de dons pour l'entretien d'un immeuble ne lui appartenant pas.

Ouvrages du Marquis de La Franquerie

- *La Vierge Marie dans l'histoire de France* avec préface du Cardinal Baudrillart. Ouvrage couronné par l'Académie Française.
- *La mission divine de la France.*
- *Mémoire pour la consécration de la France à saint Michel.* Préface de s. exc. Mgr de la Villerabel, archevêque d'Aix.
- *Saint Louis Roi de France.*
- *L'infaillibilité pontificale, le syllabus, la condamnation du modernisme & du sillon, la crise actuelle de l'église.*
- *Le caractère sacré & divin de la royauté en France.*
- *Le sacré-cœur & la France.*
- *Saint Joseph.*
- *Saint Rémi, thaumaturge & apôtre des francs.*
- *Jeanne d'Arc la pucelle, sa mission royale, spirituelle & temporelle.*
- *De la sainteté de la Maison Royale de France.*
- *Louis XVI, roi & martyr.*
- *Le droit royal historique en France.*
- *Madame Elisabeth de France.*
- *Un grand et saint pape qui aimait la france : Pie XII tel que je l'ai connu.*
- *Saint Pie x, sauveur de l'église & de la France.*
- *Charles Maurras, défenseur des vérités éternelles.*
- *La consécration du genre humain par Pie XII et celle de la France* par le Maréchal Pétain au cœur immaculé de Marie.
- *Marie-Thérèse : sa mission concernant le clergé — Ses révélations concernant la très sainte Vierge Marie.*
- *Marie-Julie Jahenny : sa vie — ses révélations.*
- *Le saint Pape et le grand Monarque d'après les prophéties.*
- *Lucifer et le pouvoir occulte.*

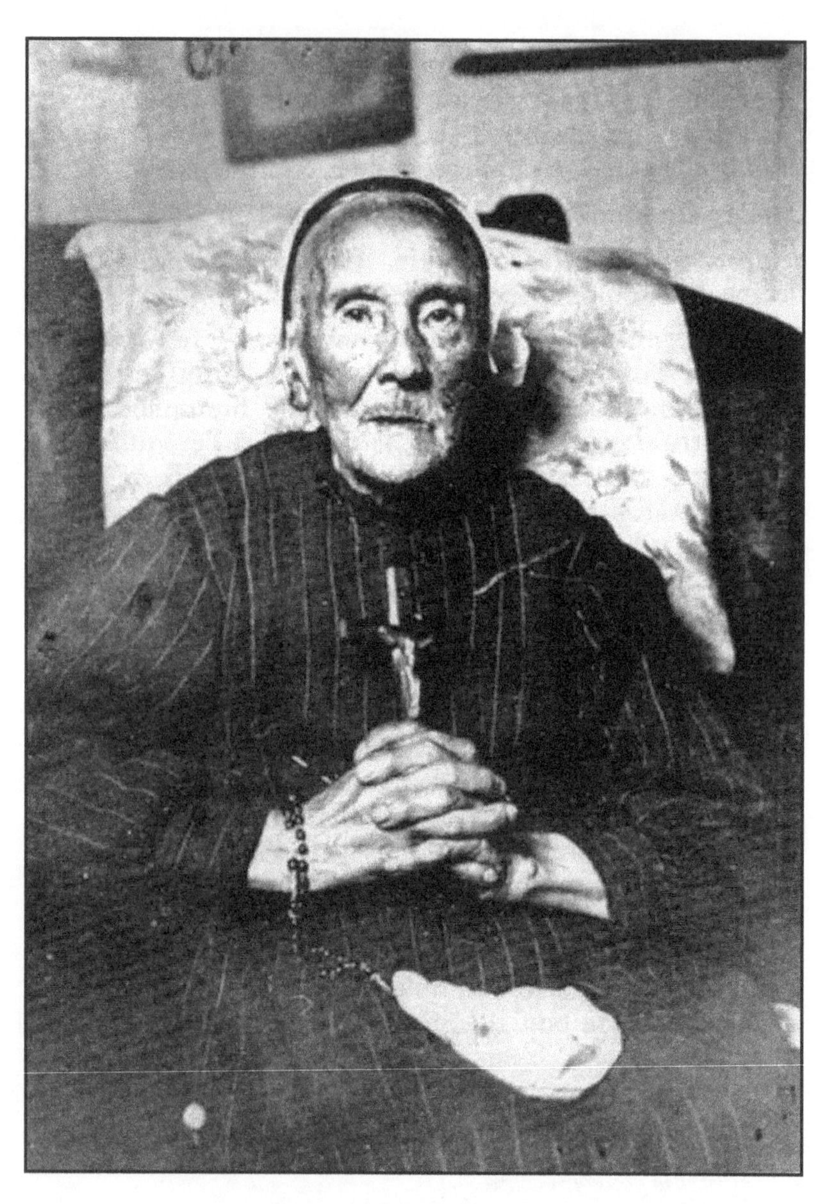

Marie-Julie Jahenny

Novembre 1977

“Non Fui, Fui, Non Sum, Non Curo“ :
« Je n’existais pas, j’ai existé, je n’existe plus, cela m’est indifférent. »
Un serviteur inutile, parmi les autres

1er février 2015

SCAN, ORC, Mise en page

LENCULUS

Pour la **L**ibrairie **E**xcommuniée **N**umérique des **CU**rieux de **L**ire les **US**uels
Toutes les recensions numériques de LENCULUS *sont gratuites*

Mesdames, Messieurs,

C'est avec émotion et joie que je vais vous parler aujourd'hui de Marie-Julie Jahenny, la stigmatisée de la Fraudais, à Blain, en Bretagne. Je l'ai beaucoup connue et ai reçu de grandes grâces au cours des extases auxquelles j'ai assisté.

Et tout d'abord, qu'est-ce qu'une stigmatisée ?

Tanqueray, dans son «*Précis de Théologie ascétique et mystique*» (1), va répondre :

«Ce phénomène consiste dans une sorte d'impression des plaies sacrées du Sauveur sur les pieds, les mains, le côté et le front : elles apparaissent spontanément, sans être provoquées par aucune blessure extérieure, et laissent couler périodiquement un sang non vicié...

«Il semble constaté que la stigmatisation n'existe que chez les EXTATIQUES, et qu'elle est précédée et accompagnée de TRÈS VIVES SOUFFRANCES, physiques et morales, qui rendent ainsi le sujet conforme à Jésus souffrant. L'absence de ces souffrances serait un mauvais signe : car les stigmates ne sont que le symbole de l'union au divin Crucifié et de la participation à son martyre.

«L'existence des stigmates est prouvée par de si nombreux témoignages que les incroyants eux-mêmes en admettent généralement l'existence ; mais ils essaient de l'expliquer d'une façon naturelle...»

Les signes pour discerner les vrais stigmates, d'origine surnaturelle sont les suivants :

«1° — Les stigmates sont localisés aux endroits mêmes où Notre-Seigneur reçut les cinq plaies, tandis que l'exsudation sanguine des hypnotisés n'est pas localisée de la même façon».

«2° — En général le renouvellement des plaies et des douleurs des stigmatisés a lieu aux jours ou aux époques qui rappellent

1 — p. 951, articles 1522 à 1525.

le souvenir de la Passion du Sauveur, comme le vendredi ou quelque fête de Notre-Seigneur ».

« 3° — Ces plaies NE SUPPURENT PAS ; le sang qui en coule est pur, tandis que la plus petite lésion naturelle sur un autre point du corps amène de la suppuration, même chez les stigmatisés. Elles ne GUÉRISSENT PAS, malgré les remèdes ordinaires, et persistent parfois pendant trente et quarante ans ».

« 4° — Elles produisent d'ABONDANTES HÉMORRAGIES : ce qui se conçoit le premier jour où elles paraissent, mais devient inexplicable pour les jours suivants. L'abondance des hémorragies demeure aussi inexpliquée ; les stigmates sont généralement à la surface, loin des gros vaisseaux sanguins, et cependant ils laissent couler des flots de sang ! »

« 5° — Enfin, et surtout, ces stigmates ne se trouvent que chez des personnes qui PRATIQUENT LES VERTUS LES PLUS HÉROÏQUES, et qui ont en particulier un grand amour de la croix.

« L'étude de toutes ces circonstances montre bien que nous ne sommes pas ici en face d'un cas pathologique ordinaire, mais qu'il y a là l'intervention d'une cause intelligente et libre qui agit sur ces stigmatisés pour les rendre plus conformes au divin Crucifié ».

Il n'y a donc aucune assimilation possible entre les PHÉNOMÈNES MYSTIQUES et les phénomènes morbides.

✳

Marie-Julie naquit le 12 février 1850, à Blain, au hameau de Coyault. Fille de Charles Jahenny et de Marie Boya, elle était l'aînée de cinq enfants. Ses parents appartenaient à des familles foncièrement chrétiennes de « cette classe paysanne qui sait allier à une modeste aisance l'amour du travail et la simplicité dans les habitudes de la vie » (2)

---

2 — Pierre Ragot, *La stigmatisée de Blain : Marie-Julie Jahenny* — p. 29 et 31.

A partir de sa première Communion, Marie-Julie eut un attrait particulièrement grand pour l'Hôte divin du Tabernacle et avec joie elle répondait au désir de Jésus qui lui disait : « Reste encore un peu avec moi ». L'enfant, attentive à la voix intérieure qu'elle entendait, aimait le calme et le recueillement qu'elle trouvait en se retirant à l'écart « pour jouir paisiblement de la présence de Dieu et prier en silence ». Cependant, de bonne grâce, elle jouait avec ses sœurs, son frère et ses compagnes, pour leur faire plaisir. Dès qu'elle fut en âge de le faire, elle aida sa mère aux soins du ménage. Pour arriver à plus de perfection, elle s'agrégea de toute son âme au Tiers-Ordre Franciscain. « Tant qu'elle put se rendre à l'Église — écrit M. Ragot (3) — elle fut le modèle de la paroisse par sa régularité, sa modestie et édifia tout le monde par son recueillement, sa dévotion et sa ferveur ». Avec une piété angélique, elle aimait à s'approcher de la Sainte Table.

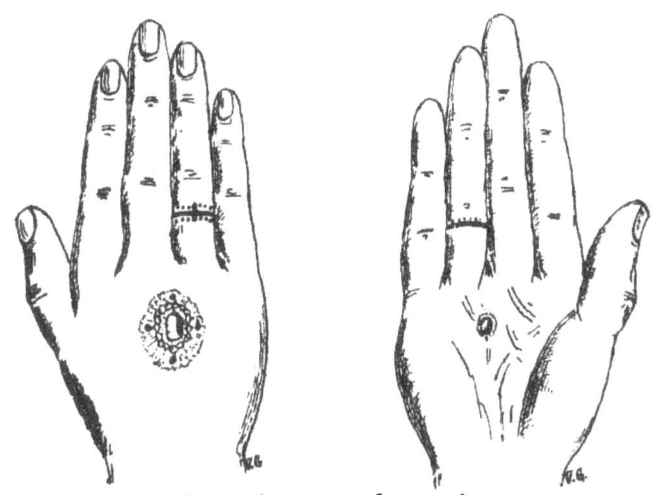

Les stigmates des mains

La stigmatisation de Marie-Julie commença en 1873.

Le Docteur Imbert-Gourbeyre, Professeur à la Faculté de Médecine de Clermont-Ferrand, écrit :

3 — Voir note page précédente.

« Dès la première année de la stigmatisation... Je fus appelé par Monseigneur Fournier, Évêque de Nantes, à l'effet de procéder à l'examen médical de cette jeune paysanne bretonne : elle avait alors vingt-trois ans. Examen fait, je déclarai à l'évêque qu'il était en possession d'une stigmatisée de bon aloi, QU'IL N'Y AVAIT PAS DE FRAUDE À LA FRAUDAIS.

« Monseigneur Fournier arriva promptement à cette conviction que les manifestations présentées par sa diocésaine étaient d'origine divine ».

Le 6 juin 1875, le pieux évêque écrivait au docteur :

« Les rapports que je ressaisis chaque jour sur Marie-Julie me démontrent de plus en plus l'action de Dieu sur cette âme : il lui accorde des grâces d'un ordre surnaturel évident. En même temps, elle grandit en vertus, en sentiments élevés. Le naturel et l'humain disparaissent chez elle, et elle a souvent à l'adresse des personnes qu'elle voit ou dont on lui parle des enseignements qui ne sont pas en rapport avec son état ordinaire. Ainsi soyez plein de confiance, cher Docteur, le moment viendra où Marie-Julie fera elle-même sa preuve... Elle est sincère : ce qu'elle manifeste est surnaturel. Je n'y vois rien que de bon, d'édifiant, de conforme aux principes de la spiritualité. Donc, c'est Dieu qui la favorise ; on y arrivera soyez-en sûr » (4).

« Le 22 février 1873, (Marie-Julie) était gravement malade : la Sainte Vierge lui apparut et lui annonça qu'elle aurait beaucoup à souffrir. Le 15 mars suivant, nouvelle apparition de la Mère de Dieu : Elle demanda à Marie-Julie si elle voulait accepter les mêmes souffrances que Son Fils avait endurées pour les hommes. La réponse fut affirmative, sur quoi la Sainte Vierge lui annonça qu'elle aurait plus tard cinq plaies. La stigmatisation commença le 21 mars suivant » (5).

Le docteur ayant interrogé Marie-Julie sur son mode de stigmatisation, elle répondit :

---

4 — Dr Imbert-Gourbeyre : « *La stigmatisation* » II pp. 18 et 19

5 — Voir note page précédente.

« Lorsque je reçus les stigmates, Notre-Seigneur m'apparut avec ses plaies rayonnantes ; il y avait comme un soleil autour d'elles. Il partit de chaque plaie un rayon lumineux qui vint frapper mes mains, mes pieds et mon côté ; il y avait au bout de chaque rayon une goutte de sang vermeil. Le rayon qui partit du côté de Notre-Seigneur était deux fois plus large que les autres et avait la forme d'une lance. La douleur que j'éprouvai fut très vive, mais elle dura à peine une seconde » (6).

« En 1875, Marie-Julie annonçait depuis plus d'un mois, et à plusieurs reprises, qu'elle aurait bientôt une nouvelle stigmatisation : qu'une croix et une fleur avec l'inscription « O CRUX AVE » seraient imprimées sur sa poitrine. Plus d'une semaine avant, elle précisa le jour : ce devait être le 7 décembre. La veille, la poitrine de Marie-Julie fut examinée, à l'effet de constater que le stigmate annoncé n'existait pas encore. Le lendemain, avant l'extase, elle offrit de se laisser examiner de nouveau : on le jugea inutile, elle avait le droit d'être crue sur parole. Bientôt, elle entra en ravissement, et pendant que se faisait l'impression merveilleuse, les témoins et la famille purent constater des senteurs incomparables qui émanaient du corps de l'extatique à travers ses vêtements. L'extase finie, on put voir sur sa poitrine la croix ; la fleur et l'inscription (7).

« Marie-Julie Jahenny présente à cette heure la stigmatisation la plus nombreuse qu'on ait encore vue : les cinq plaies, la couronne, les stigmates de l'épaule, de la flagellation et des cordes qui ont lié le Sauveur, le stigmate annulaire, les stigmates épigraphiques et figuratifs » (7).

« Elle a reçu les cinq plaies le 21 mars 1873 ; la couronne d'épines le 5 octobre ; le 25 novembre le stigmate de l'épaule gauche ; le 6 décembre les stigmates dorsaux des extrémités ; le 12 janvier 1874, apparition des stigmates aux poignets pour représenter les cordes qui avaient lié les mains du Sauveur, et, le même jour, un stigmate épigraphique au devant du cœur ; le 14 janvier, autres stigmates aux

6 — Dr Imbert-Gourbeyre — *Op. cit.* pp. 11, 25 et 27.

7 — Voir note page précédente.

chevilles, sur les jambes et les avant-bras, comme signes de la flagellation ; quelques jours après, deux raies stigmatiques au côté ; le 20 février, anneau stigmatique à l'annulaire de la main droite, signe de ses fiançailles ; plus tard, diverses inscriptions sur la poitrine ; et le 7 décembre 1875, inscription « O CRUX AVE » avec une croix et une fleur » (7).

Au début de sa stigmatisation, les hémorragies stigmatiques avaient lieu tous les vendredis, ensuite seulement le Vendredi saint, mais les douleurs stigmatiques allaient en augmentant, toujours plus fortes le vendredi.

Une partie des stigmates de Marie-Julie se transforma miraculeusement, transformation annoncée d'avance ; elles eurent lieu le 20 février 1878, le 29 juin 1880, le 15 octobre 1882, le 24 mai 1883. Lors de cette dernière transformation, la famille entendit la musique des anges.

Le jour de la Toussaint 1884, Notre-Seigneur lui annonça qu'il l'envelopperait d'un manteau de vive lumière. Le phénomène se produisit peu après minuit en la fête de l'Immaculée Conception. La stigmatisée était en oraison et disait à son Divin Époux : « O Jésus, c'est de vous qu'ont jailli toutes les lumières qui m'éclairent et me vivifient ». A ce moment, une véritable lumière jaillit tout à coup de ses deux mains stigmatisées. Chaque stigmate fut transformé en un corps brillant comme un diamant de la grosseur d'un petit pois... La lumière céleste dura dix minutes.

Le 20 février 1874 : « A peine Marie-Julie eut-elle reçu les cinq plaies, que la Sainte Vierge lui annonça qu'elle deviendrait l'épouse du Seigneur... » L'Abbé David, son directeur, écrit au Docteur Imbert-Gourbeyre, pour lui rendre compte des faits :

« Vive Dieu ! DEO GRATIAS ! Hier nous avons eu la plus consolante journée qui soit possible. Tout ce qui avait été révélé au mois d'avril dernier s'est réalisé... J'avais tout organisé par les ordres de

Monseigneur : quatorze hommes comme témoins... trois de Nantes envoyés par l'évêché... A 8 h 30, nous avons constaté que les plaies étaient sèches ; que l'annulaire de la main droite était sain, pâle comme la mort, sans trace d'anneau. Après 9 heures, saignement de toutes les plaies. Vers 9 h 15, on a vu le doigt qui s'enflait et rougissait sous la peau. Vers 9 h 45, le sang coulait dessus et dessous le doigt, et petit à petit on voyait se former l'anneau. Il est maintenant bien marqué pour toute sa vie... Monseigneur est enthousiasmé » (8).

La plaie du stigmate du cœur

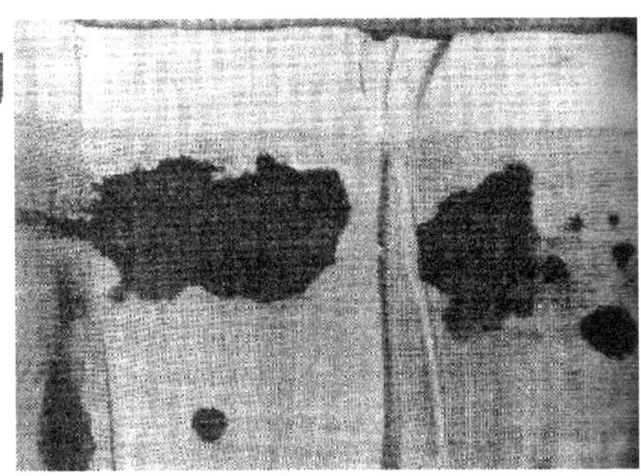

✳

Plusieurs Crucifix eurent des manifestations sanglantes chez Marie-Julie. Sur la demande de la jeune stigmatisée alitée, l'Abbé David, son directeur, lui avait donné une image de Notre-Seigneur sur la croix après l'avoir bénie. Une attirance extraordinaire vers cette image la saisit et elle aimait à méditer plusieurs fois par jour devant elle. Le 21 janvier 1877 Notre-Seigneur lui apparut, pendant qu'elle était en extase et il lui dit :

« O toi qui m'aimes, regarde ce que je souffre... Je verse mon sang divin pour racheter les péchés de la France... L'image où je suis crucifié devant laquelle tu fais ta méditation, va te rappeler ma douleur. Le sang divin de mes Cinq Plaies qui vient de couler sur ma croix, va

8 — Dr Imbert Gourbeyre — *Op. cit.* II pp. 115 et 117.

Le tableau du calvaire qui a saigné

couler sur les cinq plaies de cette image... dis à ton Père de la recueillir... et maintenant reviens sur la terre : tu trouveras mes Cinq Plaies baignées de sang » (9).

Revenue à elle, Marie-Julie aperçut l'image ensanglantée et tous les siens furent témoins du miracle. L'Abbé David conserva l'image miraculée.

« Trois ans plus tard, le 27 mai 1880 ; jour de la Fête-Dieu, le sang coulait encore à la Fraudais sur une autre image de Notre-Seigneur crucifié et sur deux Crucifix. Je laisse la parole à l'Abbé Lequeux, ancien vicaire à Blain, qui fut témoin des prodiges :

« Jeudi vers onze heures trente, écrivait-il à l'Abbé David, je me trouvais à la Fraudais. Pendant que j'adressais à Marie-Julie quelques mots sur l'amour de Jésus au Très Saint-Sacrement, elle tomba en extase, puis tout à coup s'écrie : « Le Crucifix qui est au pied de mon lit saigne ». Aussitôt je me détourne et je vois sur le tableau un jet de sang de deux centimètres environ. J'appelle Angèle (la Sœur de Marie-Julie) qui, comme moi, constate le prodige. Pendant que j'étais occupé à considérer le tableau, je vis que Marie-Julie avait les lèvres collées sur son Crucifix et semblait boire. Je m'approchai alors et je vis clairement du sang vermeil sur le Crucifix et sur les lèvres de notre chère victime qui, étendant la main, me dit : « Mon Père, donnez-moi vite mon autre Amour Crucifié, votre Crucifix ». Je le lui présentai et aussitôt, elle but de la même façon. Après quelques instants, elle ajouta : « Mon Jésus vous dit de purifier de vos doigts consacrés les deux Crucifix ». Avec un linge bénit, je purifiai alors les deux Crucifix tout rouges d'un sang vermeil. Puis Marie-Julie me dit : « Mon Jésus veut que vous purifiez mes lèvres empourprées du sang adorable ». Je pris alors le linge par les deux extrémités et je l'appuyai sur les lèvres de la voyante.

« Six semaines auparavant, le 16 avril, j'étais à la Fraudais assistant à une extase de Marie-Julie. A un moment donné, elle mit dans la bouche de Notre-Seigneur les paroles suivantes : « Un peu plus tard, quand je me donnerai à ton âme, je ferai couler sur tes lèvres quelques gouttes de sang vermeil qui seront mon sang précieux ».

9 — id. II pp. 119 à 121.

⁂

Très fréquemment, les âmes mystiques sont atteintes de maladies inexplicables et extraordinaires qui sont et ne peuvent être que d'ordre surnaturel. Marie-Julie n'en fut pas exempte. Citons le Docteur Imbert-Gourbeyre, chargé de l'enquête médicale et qui a observé les faits :

« Depuis le commencement de juin 1880... Marie-Julie avait eu à supporter des souffrances extraordinaires pendant les extases du lundi, du mardi et du jeudi de chaque semaine. A chaque extase, c'était une scène nouvelle. Ces souffrances multiformes étaient annoncées dans les extases qui les précédaient : chose plus remarquable encore elles étaient décrites et pour ainsi dire commentées pendant l'extase par la stigmatisée elle-même... Pendant le chemin de croix, le vendredi précédent, Notre-Seigneur avait dit à Marie-Julie qui répétait ses paroles pendant l'extase, lesquelles étaient recueillies par un secrétaire : « Lundi, pour expier les coupables offenses que je vais recevoir et que j'ai déjà reçues dans ce mois, je te réduirai d'une autre manière. Tous tes membres seront rétrécis ; je te réduirai à être si petite que tu n'auras aucun membre libre ; ta tête sera scellée à tes os, et tu seras comme le ver que je réduis. Dans cette douleur, tes souffrances seront très violentes ; tu souffriras à toutes les jointures. Avec cette douleur, tu auras une fièvre brûlante. Ta langue sera enflée, bien grosse. Il restera à tous les os des joints une enflure visible qui marquera combien la douleur sera forte ».

« Tout ce programme prophétique devait se réaliser sous mes yeux », dit le docteur. Cela eut lieu le lundi 27 septembre 1880 (10).

Vous me permettrez de faire un rapprochement avec une autre stigmatisée que je connais également : Marthe Robin, de Châteauneuf-de-Galaure. Elle aussi a les membres complètement rétrécis dans des proportions invraisemblables, du fait d'une rétraction générale.

Le docteur Imbert continue :

10 — id. II pp. 131 et suite.

« Quelques jours après avoir assisté à ces souffrances extraordinaires, j'entendis Marie-Julie annoncer devant moi, en plein état extatique, qu'elle allait bientôt être prise d'une nouvelle et longue maladie. Depuis six mois, elle avait dit souvent que Dieu lui demandait le sacrifice complet de ses oreilles, de ses yeux, de la parole et du mouvement. Elle acceptait tout...

« Le dimanche 19 décembre, Marie-Julie sut par révélation que son sacrifice allait commencer deux jours après : or, le mardi suivant, elle perdit la parole et n'entendit plus la voix des siens. Elle sut le lendemain qu'elle serait frappée de cécité dans trois jours ; le troisième jour, elle était aveugle. Les conditions du mutisme étaient extraordinaires. La langue immobile, dure comme une pierre, repoussée en arrière avec sa pointe repliée en dessous, obturait complètement le gosier. La bouche était fermée ; les lèvres immobiles, et l'on ne voyait plus Marie-Julie prier.

« Le 10 février 1881, on recueillait les paroles suivantes de l'extase. Notre-Seigneur disait à la victime : « veux-tu souffrir de nouveau ? »

« Oui, mon Jésus ».

« Eh bien, à partir de lundi prochain, tu ne pourras plus rester sur ton bûcher... Tous tes membres seront désunis, mais sans bouger de place. Tous ceux du côté gauche, depuis la plante des pieds jusqu'au sommet, ne feront plus aucun mouvement ».

« Je veux bien, mon Jésus ».

« Tu resteras dans ton fauteuil ; là, de nouveaux crucifiements de douleur tour à tour viendront te tenir compagnie » (11).

De fait, ce jour-là, un long martyre commençait qui devait durer plusieurs années. Le corps était glacé. Par pitié, sa famille voulut un soir la porter sur son lit. Ce fut impossible ; elle était clouée sur son siège de douleur par une force invisible plus pesante qu'un bloc de marbre. Elle fit comprendre qu'on pourrait la coucher seulement à une heure du matin. A ce moment, elle devint plus légère qu'une plume.

11 — id. pp. 136, 137.

« La victime était privée de l'ouïe, mais on s'aperçut bientôt qu'elle pouvait entendre la parole du prêtre lorsqu'il parlait latin. Elle était aveugle : mais, dans ses extases, elle pouvait voir les apparitions du Ciel, ce qui était rendu sensible par la beauté et la vivacité de son regard extatique. La parole lui était enlevée : mais, le jour où Notre-Seigneur lui avait annoncé que la lumière lui serait ravie, il lui avait dit : « Dans l'extase, je te rendrai le langage ». Et, à ce moment, sa langue se décrochait ; elle remuait les lèvres auparavant immobiles et commençait son discours. A peine était-il achevé que la langue se contractait de nouveau et reprenait sa position première. La stigmatisée était frappée de paralysie : mais, chaque vendredi, à 9 heures du matin, cette paralysie disparaissait providentiellement, pour qu'elle pût changer de linge et faire à une heure son chemin de croix accoutumé. L'extase terminée, le côté gauche rentrait en paralysie pour huit jours... Je m'enquis exactement de la vérité de tous ces faits, DE VISU et par témoignages... La maladie de Marie-Julie dura près de quatre ans, s'éteignant pour ainsi dire par pièce et morceau : l'hémiplégie disparut la première, puis successivement le mutisme, la surdité et la cécité ».

Et le docteur Imbert-Gourbeyre — professeur à la faculté de médecine de Clermont-Ferrand, je le répète, donc une sommité de la science médicale — n'hésite pas à conclure (12) :

« Il semble que la Fraudais ait surgi tout exprès pour combattre la Salpêtrière sur le terrain même de l'hystérie. Les souffrances extraordinaires de Marie-Julie ont été accompagnées d'un symptôme dominant, la contracture, lequel joue un rôle important dans la grande névrose. Toutes les circonstances de ce symptôme prouvent qu'il n'était pas de nature hystérique. Qui a jamais vu, entre autres, à la Salpêtrière ou ailleurs, une contracture cesser régulièrement tous les vendredis, pendant plusieurs heures, pour permettre au sujet de pouvoir parler et marcher en pleine extase ? L'observation de la vierge bretonne met en déroute toutes les observations d'hystérie connues. Il suffit d'être médecin pour le comprendre ».

---

12 — id. II p. 138.

⁂

Très exactement, Monsieur Pierre Ragot, dans sa plaquette sur Marie-Julie, écrit :

« Pour purifier ses élus et en faire des victimes d'expiation, Dieu se sert souvent de Satan, qui, dans sa haine de l'homme, est entre ses mains l'instrument le plus actif. L'Écriture Sainte, et surtout l'hagiographie nous offrent de nombreux exemples de cette conduite de la Providence » (13).

Marie-Julie a été maintes fois molestée par le démon. Citons le docteur Imbert-Gourbeyre :

« Marie-Julie venait d'être stigmatisée depuis quelques semaines, et déjà la Sainte Vierge l'avait avertie plusieurs fois qu'elle serait bientôt attaquée par le diable. Le 26 avril 1873, Elle lui apparut de nouveau, lui annonçant les grandes épreuves, et lui promettant de ne l'abandonner jamais ; puis elle disparut avec un gracieux sourire.

« Un quart d'heure après, le démon apparaît à Marie-Julie ».

Il s'attaque à elle, fait tomber les tableaux religieux, les reliques, etc... chapelet brisé, paillasse déchirée, crucifix jeté à terre ; certaines personnes jetées à terre ; la stigmatisée couverte de blessures, d'égratignures, battue presque chaque jour. Le démon apparaissant soit sous la forme habituelle, soit sous celle d'une bête, soit sous l'apparence d'un jeune homme d'une grande beauté, faisant toujours des promesses de guérison, de richesses, etc... Les blessures et égratignures provoquées par le démon ne suppuraient jamais et se guérissaient très rapidement avec de l'eau bénite.

Le 29 septembre, en la fête de Saint Michel, le démon .fut terrassé et rendit les objets volés par lui auparavant. Jusqu'au mois d'avril suivant Marie-Julie fut tranquille. A ce moment les assauts démoniaques reprirent. Satan lui introduisit de force dans la bouche de l'herbe, et une fiole de sang empoisonné lui serrant les mâchoires qu'elle ne put desserrer qu'après l'exorcisme de l'Abbé David. Le 12 janvier 1875, le

13 — Pierre Ragot : *op. cit.* p. 66.

démon se présente sous la forme d'un prêtre avec une étole sans croix et voulut lui donner une hostie qu'elle refusa. Etc. ...

Marie-Julie, comme beaucoup d'autres grands mystiques connut l'inédit ou abstinence miraculeuse. Cette abstinence totale, une première fois commença le 12 avril 1874 et dura quatre-vingt-quatorze jours. Elle l'avait annoncée d'avance comme elle le fit pour la seconde période, qui dura cinq ans, un mois et vingt-deux jours à partir du 28 décembre 1875. Pendant ces périodes — comme elle l'avait prédit — la Sainte Communion suffisait à la soutenir et, constate le docteur Imbert-Gourbeyre « pendant toute cette période, il n'y eut aucune excrétion liquide ou solide ».

Pendant ses extases, on pouvait constater sur la pieuse stigmatisée les caractéristiques habituelles dans cet état miraculeux : les sens n'agissent plus ; l'âme est totalement absorbée en Dieu ; l'insensibilité absolue à tel point qu'on pouvait lui faire subir piqûres, brûlures, jets de lumière violents dans les yeux, sans qu'elle s'en rendît compte et ne fit le moindre mouvement. Certaines de ses extases furent accompagnées de lévitation, à ce moment, elle était d'une légèreté extatique.

Ajoutons que quand son directeur spirituel ou une Autorité religieuse compétente légitime lui donnait l'ordre d'interrompre son ravissement et de revenir à la vie ordinaire, immédiatement elle obéissait, que le *rappel* fut mental, vocal ou par écrit. Bien entendu, le pouvoir du *rappel* peut être transmis par délégation même à des laïques, mais il ne peut être ordonné que par un supérieur ayant juridiction canonique. Comme l'extatique n'entend pas l'ordre formel qui lui est donné, il s'ensuit que cet ordre lui est transmis extra-naturellement. Généralement un tel ordre cause une grande souffrance à l'extatique car il interrompt brusquement et instantanément sa vision. Ajoutons que l'ordre de rappel lui fut donné plusieurs fois en latin et elle obéit toujours, alors qu'elle ne connaît pas cette langue...

*

Marie-Julie jouit de la grâce de l'hiérognose, c'est-à-dire du don merveilleux de reconnaître le Pain Eucharistique du pain ordinaire, les _objets bénits de ceux qui ne l'étaient pas, les reliques, et de préciser leur origine, de comprendre enfin dans diverses langues les chants sacrés et les prières liturgiques. Monseigneur Fournier, évêque de Nantes, accompagné du Supérieur des Jésuites et de son secrétaire, en fit l'expérience, notamment, le 17 juillet 1874.

Ajoutons deux faits personnels :

Le premier : ma Mère me remit un jour où j'allais assister à une extase de Marie-Julie, une relique de la vraie Croix, dont j'ignorais l'origine ; au cours de l'extase, Marie-Julie me précisa que je devais me procurer l'authentique concernant ce trésor. Au retour, m'étant arrêté à l'Évêché de Nantes, je demandai à Monseigneur Le Fer de la Motte ce que je devais faire puisque j'ignorais la provenance de la précieuse relique. L'Évêque me répondit : « puisque Marie-Julie vous l'a dit en extase, la relique est certainement authentique, mais il ne m'est pas possible de vous délivrer un authentique ». Rentré chez ma Mère, je lui ai exposé ce qui s'était passé. Immédiatement, elle me dit que la relique lui avait été envoyée quinze jours auparavant par la Prieure du Carmel de Bethléem et qu'elle allait lui demander l'envoi de l'authentique. Ce qui fut fait par retour du courrier.

Second exemple : depuis la Révolution, ma famille répandait le culte de Madame Elisabeth de France, inébranlablement fidèles que nous sommes à la Famille de nos Rois. Madame Elisabeth venait de faire un miracle en notre faveur (la naissance d'une petite Elisabeth qui n'aurait jamais dû naître, aujourd'hui mère de quatre enfants). Peu après ce miracle, un libraire d'occasions, auquel je m'adressais souvent et qui connaissait notre attachement à la Famille Royale, me montra un livre du XVIIIe siècle sur lequel était écrite la prière dite de Madame Elisabeth, prière signée : Elisabeth-Marie. Sans me donner d'autre précision, il me demanda de me renseigner pour savoir si la signature était bien celle de la Princesse Martyre ; je partais quelques jours après assister à une extase de Marie-Julie, j'emportai donc le livre. Par suite d'un retard de train — Dieu fait bien les choses — j'arrivai l'extase commencée ; je déposai alors le livre sur les genoux de la stigmatisée, qui ignorait ma présence ; immédiatement elle confirma l'authenticité de la relique et fit la description de Madame Elisabeth couronnée dans le Ciel : inutile de vous dire que dès mon retour à Paris, j'acquis la précieuse relique.

✳

Marie-Julie eut la grâce presque spéciale aux stigmatisés, mais même exceptionnelle pour eux, celle d'avoir plusieurs anges auxiliaires en plus de leur ange gardien. Elle jouit de ce privilège pendant le temps où elle était sourde, muette, aveugle et paralysée.

Pendant la nuit de Noël 1879, elle reçut dans ses bras l'Enfant-Jésus, la description qu'elle fait de cette scène est vraiment émouvante :

« Je sentis dans mon âme une grande chaleur d'amour qui m'embrasait ; je sentis mon âme partir et aller au milieu d'une multitude d'anges qui allaient au divin berceau, et quand je fus au berceau du Saint Enfant, je sentis ce même embrasement comme je ne l'avais jamais éprouvé ; et aussitôt, le Saint Enfant dit à sa bonne Mère : « Donnez-moi, ma bonne Mère, le beau vêtement que nous avons préparé, vous et moi ». Et la Sainte Vierge me donna une robe blanche, et le petit Enfant Jésus mettait un manteau blanc par-dessus mes épaules. Il me dit : « Je veux me reposer sur ton cœur, dans tes bras ». J'étais pour me sauver, pour ne pas le prendre, parce que je n'étais pas digne. Il me dit : « reste là, je veux que tu me portes ». Je me mis à pleurer : sa petite main essuyait mes larmes, et là, dans un berceau de flammes, je reçus le Saint Enfant Jésus... Je le tenais sur mes mains, sa petite tête adorable sur mon cœur. Pendant que je le tenais, il passait ses mains sur mes deux joues... avec ses mains délicates. il déposa un petit baiser... là, au milieu du front ; et après il avait dans la main droite un clou d'or et me le mettait comme cela... directement sur le cœur, et il me dit : « un jour, ce même clou d'or restera gravé où je l'applique » ; à l'endroit de ce clou, il sortira un parfum qui sera trouvé le même quand tu sortiras du tombeau, avant la Résurrection. « Je ne sais pas ce que cela veut dire et je ne le lui ai pas demandé ». « Les merveilles du parfum, me dit-il, pendant ta vie seront les mêmes après ta mort ». De fait, depuis cette époque, il est sorti souvent de la poitrine de Marie-Julie des parfums incomparables qui furent sentis par nombre de visiteurs » (14).

Marie-Julie a eu de très nombreuses communions miraculeuses. Écoutons le docteur Imbert-Gourbeyre — qui en a été témoin à plusieurs reprises et a tenu à en témoigner par écrit auprès de Monseigneur Lecoq :

« La stigmatisée de la Fraudais a eu nombre de communions miraculeuses. La première eut lieu le 4 juin 1874, suivie de trois autres dans la même année. Du commencement de mai 1876 au 29 janvier 1877, il y eut treize communions pendant l'extase du vendredi qui furent vues par plus de deux cents personnes. Marie-Julie savait d'avance, par révélation, le jour où devait avoir lieu cette communion miraculeuse du vendredi... Ce jour-là, les témoins avertis étaient admis dans la chaumière ; il y en avait ordinairement une quinzaine... Monseigneur Fournier, évêque de Nantes, avait autorisé ces admissions.

« Vingt trois jours après la mort de ce grand évêque, si dévoué à la cause de la Fraudais, Marie-Julie était privée des sacrements par ordre des vicaires Capitulaires, décision qui fut maintenue par Mgr Lecoq, évêque successeur. A partir de ce moment, la stigmatisée eut chaque dimanche et à certaines fêtes, entre 6 et 7 heures du matin, une communion miraculeuse qui n'avait d'autre témoin que sa famille, ce qui dura onze ans et demi, jusqu'à ce que les sacrements lui fussent rendus... » sur l'ordre du Saint-Siège, à la suite d'une enquête que le Pape Léon XIII avait fait faire par le T. R. Père Vanutelli, dominicain, cousin du Cardinal de ce nom.

---

14 — id. *op. cit.* H, p. 392.

La façade de la chaumière

A propos des visions et paroles surnaturelles, le Docteur Imbert-Gourbeyre écrit :

« Les discours extatiques ont deux caractéristiques principales : la science infuse et l'esprit prophétique. Nous avons plusieurs fois assisté aux extases de Marie-Julie. Quel étonnement, écrit-il, d'entendre cette simple paysanne dépourvue de toute instruction, parler des choses divines en théologien consommé ; faire tout un enseignement mystique ; disserter admirablement sur Dieu, Jésus-Christ, l'Eucharistie, la Croix, le Sacerdoce ; raconter la vie d'une foule de saints qu'elle n'a pu connaître ; citer en latin des textes de l'Écriture Sainte ; reproduire des passages entiers des Saints Pères ; faire de nombreuses révélations, et s'élever parfois à une forme littéraire incomparable » (15).

15 — id. II p. 323.

Un témoignage personnel. Un jour, après une extase à laquelle nous avions assisté avec mon Épouse et deux de mes enfants, elle me cita un mot de l'extase dont elle ne comprenait pas le sens et me demanda ce que ce mot signifiait... Elle n'avait donc pas pu l'inventer !

Il nous est possible maintenant de vous parler des prédictions de Marie-Julie ; commençons par celles déjà réalisées. Nous étudierons ensuite celles faites sur l'avenir et notamment celles concernant la grande crise, la mort de l'Église et de la France toutes deux au tombeau ; la destruction de Paris et enfin le Saint Pape et le Grand Monarque qui assureront le salut et le triomphe de l'Église et de la France jusqu'à la consommation des siècles.

Pendant longtemps, en France, on a cru que Monsieur le Comte de Chambord était le grand Monarque annoncé par les prophéties. Dans la pensée de Dieu, en effet, il était destiné à sauver la France et à transmettre le Trône à l'Héritier légitime, le descendant du Roi et de la Reine Martyrs et de Louis XVII. Le Prince avait résumé tout le programme du salut de la France quand il avait dit :

« POUR QUE LA FRANCE SOIT SAUVÉE, IL FAUT QUE DIEU Y RENTRE EN MAÎTRE POUR QUE J'Y PUISSE RÉGNER EN ROI ».

Mais, dès 1877, Notre-Seigneur annonçait la mort du Comte de Chambord parce qu'hélas ! la France refusait le salut ; et Notre-Seigneur se plaint :

« J'ai voulu donner à la France un Roi qu'elle a refusé » (16).

Et le 24 août 1883. Il annonce la mort du Prince, qui vient de mourir ; Marie-Julie voit la croix se couvrir de nuages, le monde de

16 — Le 14 février 1878, lors d'une apparition de Pie IX à Marie-Julie, Notre-Seigneur dit à cette dernière : *« Ma victime, je viens te dire de ne pas t'inquiéter. Je t'ai révélé beaucoup de choses sur la Sainte Église. Cela ne regarde pas Pie IX... »* En effet les amis de la Fraudais appliquaient à Pie IX et au Comte de Chambord ce qui bien souvent concernait le Saint Pape et le Grand Monarque annoncés pour l'avenir par tant de saints et de prophètes.

ténèbres et Jésus-Christ, du haut de son Trône, en termes terriblement menaçants, jeter cette parole d'épouvante :

« PLUS D'ESPÉRANCE DU COTÉ DE LA TERRE ! La France n'ayant pas MÉRITÉ Celui qui devait la sauver, Dieu l'a enlevé de la terre. Premier châtiment ! »

Ce n'est sans doute pas sans raison qu'en la vigile de la fête de Saint-Louis — le plus saint des Rois — Dieu a rappelé à Lui Celui qui incarna si admirablement au- XIXe siècle le modèle des Souverains, celui dont le Pape Pie IX disait :

« TOUT CE QU'IL DIT EST BIEN DIT. TOUT CE QU'IL FAIT EST BIEN FAIT ».

Dès le 15 septembre 1879, Marie-Julie annonce le KULTUR-KAMPF de BISMARCK et la guerre en Allemagne contre les Catholiques.

Elle annonce également les persécutions religieuses déclenchées par la Franc-Maçonnerie et les républicains : service militaire imposé au clergé, spoliation des biens d'Église, fermeture des collèges, départ et exil des Congrégations Religieuses, Séparation de l'Église et de l'État, suppression des Crucifix dans les hôpitaux, les prétoires et les établissements d'enseignement ; suppression des Aumôniers dans l'Armée et la Marine ; création d'écoles enseignant l'athéisme, l'iniquité, l'irréligion, la révolution et l'anti-patriotisme, le crime en un mot ; et elle ajoute que la jeunesse sera dirigée « par tout ce qu'il y a de plus corrompu et souillé et sera instruite dans une religion impie... On fera adorer la créature mortelle tout ce qu'il y a de plus infâme et de plus ignoble, indécemment présentée... » Et elle dit que la Chambre des Députés est la *Salle d'enfer* et sera foudroyée par le feu du Ciel.

Dès le 15 septembre 1881, elle annonce toutes les circonstances de la mort de Mélanie Calvat, la Bergère de La Salette, décédée vingt trois ans après, le 15 décembre 1904 à Altamura, en Italie ; et sa prophétie s'est rigoureusement réalisée.

A l'avance, elle annonce l'éruption du Mont Pelé à Saint Pierre de la Martinique, puis la décrit à l'heure même où elle se produit.

Dès 1881, elle prédit la Guerre du Transvaal et la fixe lors de la mort de la Reine Victoria, morte en 1901. Elle ajoute que la France devra toujours se méfier de l'Angleterre.

Le 26 octobre 1877, Marie-Julie voit quatre Croix :

- Sur la première : « France, tes pleurs et tes gémissements n'ont point été entendus ».
- Sur la deuxième : « Bretagne, ton cœur gémissant a poussé ses soupirs vers mon Fils. Il a entendu ta voix ».
- Sur la troisième : « Chère Vendée, que de fois tu as donné ton sang pour ta foi, mes bénédictions tomberont sur toi ».
- Sur la quatrième : « L'Alsace et la Lorraine seront réunies à la France ».

A la mort de Léon XIII, quelques jours avant l'ouverture du Conclave, Marie-Julie eut la révélation suivante qui décrit à l'avance le règne du futur Elu :

« Le Cardinal Adriatique est l'Élu de Dieu. Son règne sera celui du Christ. Il sera Saint et il sanctifiera. Il remettra tout en ordre dans le Christ. Son règne : orage et prière. Il ne durera pas bien longtemps et portera le nom de Pie ».

Elle prophétise les conflagrations mondiales de 1914 et de 1939. A propos de cette dernière, dès le 18 novembre 1920, parlant des Allemands, elle disait : « Ces âmes cruelles et barbares n'ont pas désarmé contre les pauvres enfants de mon Royaume... Ils cherchent par le moyen d'une grande injustice à payer leurs dettes par le fer... Ils reviendront... Ils feront beaucoup de mal... Mais je garderai Mon Royaume... Ma divine puissance arrêtera leur rage... Je les refoulerai ».

Elle prévoit la Guerre d'Algérie : « La terre des Arabes triomphera des pauvres armées Françaises ; tous les prêtres de ces régions auront à subir les plus cruelles misères »... Ce qui s'est réalisé à la lettre, puisque ces malheureux prêtres ont été odieusement persécutés par trop d'Ordinaires diocésains de la Métropole et par la majorité du clergé...

Elle a fait un portrait terriblement exact du faux sauveur, de Gaulle qui fut en effet, consciemment ou inconsciemment le plus grand malfaiteur de l'Histoire de France. Notre-Seigneur avait dit à Marie-Julie : « Ses mensonges et son orgueil ne Me tromperont pas, Moi » (17).

Je vous en ai assez dit sur les prophéties déjà réalisées. Passons à celles qui se réalisent présentement ou à celles à venir.

La Mère de Dieu se plaint du mépris que le clergé manifeste à l'égard de ses Messages et de Ses Apparitions et Notre-Seigneur ajoute le 4 janvier 1884 :

« J'ai tout fait pour mon peuple ; j'ai envoyé Ma Mère sur la terre ; très peu ont cru en Sa parole. J'ai fait entendre Ma Voix partout, en Me choisissant des victimes sur lesquelles J'ai opéré des merveilles et des prodiges. On les a méprisées et persécutées... »

Le 19 septembre 1901 — date de l'anniversaire de l'Apparition de La Salette — la Sainte Vierge dit :

« J'ai encore aujourd'hui à mes yeux la trace des larmes que j'ai répandues à pareil jour, en voulant apporter à mes enfants LA BONNE NOUVELLE s'ils se convertissaient, mais la triste nouvelle s'ils persistaient dans leurs iniquités... ON FAIT PEU DE CAS DE CE QUE J'AI RÉVÉLÉ... Voilà l'heure où vont s'accomplir ces grandes promesses QUE LES CHEFS DE L'ÉGLISE ONT MÉPRISÉES... Ils n'ont pas voulu de lumières !... De tout cela j'ai bien souffert. La douleur en ce moment oppresse mon

17 — « Zeller, l'ancien grand maître de la Franc-Maçonnerie en France, relate dans son livre « *Trois Points, c'est tout* » page 320 la réception que De Gaulle accorda aux délégués de la Grande Loge et du Grand Orient de France à Alger en 1943. Le général *à titre temporaire* déclara : « JE VAIS REDONNER LA RÉPUBLIQUE À LA FRANCE, JE PUIS AUSSI LUI REDONNER LES FRANCS-MAÇONS ».
C'est en effet ce qu'il a fait. Tenu par elle du fait de sa désertion de 1917, il fallait s'exécuter...

cœur ... le glaive le plus douloureux, en ce moment, c'est de voir les dispositions prises ou qui s'apprêtent... C'est de voir les pasteurs se' détacher du Lien Sacré qui dirige et gouverne la Sainte Église... Mes enfants, quand Je me rappelle, depuis le jour où j'ai apporté SUR LA SAINTE MONTAGNE (La Salette), à la terre menacée, MES AVERTISSEMENTS ; quand Je me rappelle LA DURETÉ AVEC LAQUELLE ON A REÇU MES PAROLES !... pas tous, mais beaucoup. Et ceux qui auraient dû les faire passer dans l'âme, le cœur et l'esprit des enfants avec une confiance immense, une pénétration profonde ; ILS N'EN ONT PAS FAIT CAS ! ils les ont méprisées et la plupart ont refusé leur confiance...

« Mon Divin Fils, qui voit tout, jusqu'au repli des consciences... qui a vu le MÉPRIS DE MES PROMESSES, s'est apprêté dans le Ciel, à faire une mesure DE RIGUEUR POUR TOUS CEUX QUI ONT REFUSÉ DE DONNER MES PAROLES À MES ENFANTS, comme une LUMIÈRE ÉCLATANTE, véritable et juste... Quand je vois ce qui attend la terre, MES LARMES COULENT ENCORE... DE FAUX APÔTRES, sous l'apparence d'un miel trompeur et de promesses trompeuses et mensongères, sollicitent mes chers enfants POUR SAUVER LEUR VIE DE L'ORAGE ET DU PÉRIL DU SANG... Je vous assure FUYEZ L'OMBRE DE CES HOMMES, qui ne sont autres que les ennemis de Mon Divin Fils !... Je reviens encore sur cette immense douleur : JE VOIS DES PASTEURS À LA TÊTE DE LA SAINTE ÉGLISE... (frisson de la Très Sainte Vierge)... Quand Je vois CET OUTRAGE IRRÉPARABLE, dont l'exemple funeste VA ÊTRE UN MALHEUR POUR MON CHER PEUPLE, quand Je vois CE LIEN SE BRISER... Ma douleur est immense et le CIEL EST IRRITÉ TERRIBLEMENT... priez pour ces pasteurs dont la faiblesse sera la perte d'une multitude d'âmes (répété trois fois)... ».

« Quand Je vois les ennemis présenter leurs promesses... à beaucoup de ceux qui portent le Sacerdoce de Mon Divin Fils ! Quand Je vois ces âmes se laisser DESCENDRE DANS LE CREUX DE L'ABÎME, Je vous dirai cette parole : Je m'étonne, comme Mère de Dieu tout-puissant, que Mon Fils n'effondre pas À L'INSTANT LE CIEL POUR CRIBLER DES COUPS DE SA COLÈRE, SES ENNEMIS QUI L'INSULTENT ET L'OUTRAGENT... »

Le 4 août 1904, La Reine du Ciel revient à nouveau sur la question parce qu'au désir de Saints Prêtres qui voulaient faire connaître le Message de La Salette « D'AUTRES PASTEURS SE SONT RÉVOLTÉS » et le Message a été « REMIS SOUS SCELLÉS » alors qu'il aurait dû être LIVRÉ AU MONDE ». C'est parce qu'il est grandement question des pasteurs et du sacerdoce qu'on S'EST RÉVOLTÉ... Comment voulez-vous que les CHÂTIMENTS NE TOMBENT PAS SUR LA TERRE... ON VA JUSQU'À CE POINT DE FAIRE DISPARAITRE MES PAROLES et de faire souffrir ceux qui se sont dévoués pour cette Sainte Cause... Je récompenserai mes bons pasteurs... mes bons serviteurs...

« L'Amour propre est mortifié JE MONTRE COMMENT ON SERT MON FILS DANS LES SAINTS ORDRES et comment on vit en tous temps dans son sacerdoce... Comment voulez-vous que le Ciel bénisse la terre ! Je ne parle pas de TOUS LES PASTEURS, DE TOUS LES SACERDOCES, MAIS LE NOMBRE QUE J'EXCEPTE EST BIEN PETIT... On laisse aller toutes les âmes à la dérive... On ne s'occupe que très peu de leur salut !... ON AIME LE REPOS, LA BONNE CHÈRE, LE BIEN-ÊTRE... Nos chères victimes-prêtres sont bien peu nombreuses ! On n'aime plus qu'avec indifférence le Saint Tribunal... on monte au Saint Autel PARCE QU'ON EST FORCÉ d'accomplir CET ACTE... »

Le 12 mai 1896 : « J'ai apporté toutes mes volontés éternelles POUR SAUVER MON PEUPLE DES CHÂTIMENTS... BEAUCOUP DE PRÊTRES ONT MURMURÉ ET N'ONT PAS CRU À MA PAROLE IMMACULÉE... Ils m'ont beaucoup déplu et ont offensé le Saint des Saints... »

Et encore le 19 septembre de la même année :

« LE PRÊTRE N'EST PLUS HUMBLE, IL N'EST PLUS RESPECTUEUX ; il est LÉGER ET FROID POUR LE SAINT SERVICE. Il pense à fortifier son corps quand il laisse gémir les âmes sans consolation... Les festins de la terre seront terriblement payés dans l'éternité...Au jour du grand ébranlement de ma colère : BEAUCOUP RENIERONT LE ROI QU'ILS ONT SERVI. Le prêtre infidèle ne craindra pas de renier son Père et d'éhonter éternellement son sacerdoce comme JUDAS. Nous verrons les trahisons qui se commettront à l'heure où l'effroi sera partout... POUR SAUVER LA VIE DU CORPS, ON FERA TANT PÉRIR SON ÂME ! »

Le 29 octobre 1903 :

« Le Saint des Saints a été méconnu dans Ses avertissements… Ses paroles ont été rebutées PAR CEUX QUI AURAIENT DU LES PROPAGER, LES ENTENDRE ET MULTIPLIER LA GRÂCE D'AMOUR. LES MISSIONS QUE LA SAINTE VIERGE A REMPLIES SUR LA TERRE ONT ÉTÉ MÉCONNUES… ON N'A PAS FAIT CAS DE SES PAROLES LES PLUS GRAVES. ON S'EST SOULEVÉ CONTRE LES RÉVÉLATIONS… ET CE SONT CEUX QUI AURAIENT DU RÉPANDRE CES RÉCITS DANS TOUTE LA FRANCE… MAIS QUELLE LOURDE CROIX LES TOUCHERA ! Un pesant fardeau les accablera… Une JUSTICE À PART LEUR EST RÉSERVÉE… »

Et en 1907, Notre-Seigneur ajoute :

« L'ÉTOUFFEMENT SYSTÉMATIQUE DE MES DIVINES PAROLES NE COMPORTE-T-IL PAS LES RESPONSABILITÉS LES PLUS GRAVES ! C'EST POURQUOI IL SERA DEMANDÉ DES COMPTES SÉVÈRES A CEUX QUI ONT INTERCEPTÉ LES MESSAGES D'EN HAUT ! »

Lors des élections qui ont assuré le triomphe des républicains (en France), en 1877 et 1879, la Sainte Vierge se plaint : « CE SONT LES PRÊTRES PRESQUE TOUS QUI ONT ÉTÉ LES PREMIERS À RÉCLAMER LES HOMMES IMPIES QUI GOUVERNENT LA TERRE. LES PRÊTRES SE SONT CACHÉS POUR ALLER PORTER LEURS VOIX AU COTÉ RÉVOLUTIONNAIRE… » (Mais) les yeux de Mon Fils les ont suivis… »

Aujourd'hui, ils ne se cachent plus, beaucoup d'entre eux suivent les cortèges derrière le drapeau rouge. Mais Notre-Seigneur ajoute, et cela non seulement à l'égard du clergé mais de la majorité de la population :

« ILS ONT VOULU, TOUS, LE DÉSORDRE ET LA RÉVOLUTION ; ILS VONT EN ÊTRE RASSASIÉS » (1er juin 1882).

Dans une autre circonstance Il se plaint : (25 octobre 1881)

« J'annonce un terrible châtiment pour ceux que J'ai revêtus d'un caractère sacré et remplis de grâces… ILS PERSÉCUTENT MON

Église... Ils sont bien coupables, pas tous, mais beaucoup, le plus grand nombre... Je connais leurs desseins, Je connais leurs pensées... Je vois la faiblesse s'emparer de mes prêtres à un point effroyable. La plus grande partie ne sont pas du Royal coté, ils sont du coté qui plante dans cette pauvre patrie l'étendard couleur de sang et de la terreur... »

La façade postérieure de la chaumière

Et la Reine du Ciel poursuit :

« Plus que jamais le nombre des prêtres qu'on appelle vrais ministres de Dieu est très petit, il est bien petit... Il y a beaucoup de prêtres qui n'auront pas honte, au jour de la terreur, de violer les secrets de la confession... »

C'est déjà commencé. N'a-t-on pas installé des écouteurs dans le confessionnal du Padre Pio... et l'un des complices de cette ignominie n'a-t-il pas occupé pendant trop longtemps un poste important au Vatican ?

Elle continue :

« Il y en a qui travaillent sous le voile en attendant qu'ils quittent le vêtement sacerdotal pour mieux jeter l'horreur et l'abomination parmi les peuples... Des scandales passeront sous vos yeux... IL FAUT VOUS ATTENDRE À TOUT (18). Le cœur de l'Église n'est plus qu'une sanglante plaie. AUJOURD'HUI LE CRIME EST PORTE JUSQU'AU PIED DES AUTELS... »

Et comme la stigmatisée disait qu'elle ne répéterait pas cela, l'Archange Saint Michel répliqua : « LE SEIGNEUR LE VEUT... Je dis aux amis de Dieu de se préparer et de redoubler de prière parce que tout est sur le point de TRÈS GRANDES DOULEURS, mais LES AMIS DE DIEU SONT PRÉVENUS. Ils n'ont plus qu'à attendre DANS LE SILENCE DE LEUR FOI généreuse... Tous les amis de la Croix ONT UNE PROTECTION SPÉCIALE RÉSERVÉE PAR LE SAINT DES SAINTS ET SA MÈRE BIEN-AIMÉE ».

Notre-Seigneur précise : (1881)

« Malheur au prêtre qui ne réfléchit plus à l'immense responsabilité qu'il aura à me rendre. Et les pasteurs de l'Église (les évêques) que seront-ils dans leur foi ? LE PLUS GRAND NOMBRE EST PRÊT A LIVRER SA FOI POUR SAUVER SON CORPS... LA DOULEUR QU'ILS CAUSENT (à l'Église) NE SE RÉPARERA JAMAIS. EN PEU DE TEMPS LES PASTEURS DE L'ÉGLISE AURONT RÉPANDU PARTOUT LES SCANDALES ET ILS AURONT DONNÉ LE DERNIER COUP DE LANCE À LA SAINTE ÉGLISE ».

Et peu après, le 14 décembre 1881, la Sainte Vierge ajoute :

« LE TEMPS DES CRIMES EST OUVERT... LE DÉMON VA ENTRER SOUS LA FORME DES APPARITIONS VIVANTES... MALHEUR A CEUX QUI OSERONT FAIRE DES PACTES AVEC CES PERSONNAGES VIVANTS DANS LES VISIONS DIABOLIQUES... Ma victime, BEAUCOUP D'ÂMES SERONT POSSÉDÉES QUELQUES MOIS AVANT (la crise)... LE MONDE DEVIENDRA FOU DE TERREUR et, dans cette folie, le démon qui se tient à toutes les voies de la terre, leur fera fouler le baptême et la Croix... »

18 — L'auteur ayant été à Rome pour la béatification de Monseigneur de Mazenod le 19 octobre 1975, revit à cette occasion d'éminentes Autorités Religieuses. L'une d'elles lui déclara qu'en raison de la maffia qui régnait actuellement au Vatican, « ON POUVAIT S'ATTENDRE À TOUT DANS LE PIRE ».

Le même jour n'annonce-t-elle pas l'avortement quand Elle précise :

« Le temps des crimes est ouvert. Beaucoup de mères seront sans cœur pour leurs propres fruits encore innocents, fleurs dans le Ciel » ? ... (19)

Notre-Seigneur, le 24 avril 1884 :

« Les prêtres en plus grand nombre vont se séparer de la voix de l'autorité. Une liberté scandaleuse de désunion, de légèreté va s'étendre dans tous les diocèses de France... »

« Ensuite le Seigneur me fit voir LE NOMBRE DES APOSTASIES À L'HEURE DU FATAL ÉVÉNEMENT... Ce sont les ministres du Bon Dieu qui commenceront les premiers, pas tous... Ce châtiment fait ouvrir le Ciel et le Dieu des vengeances apparaît avec les traits de la justice... Jamais je n'avais vu de si près la colère de Dieu... (14-11-1884). « Mais MALHEUR AUX PASTEURS QUI ABANDONNENT LE TROUPEAU » (27-1-1882).

Marie-Julie annonce la PROFANATION DES SAINTES ESPÈCES :

« Elles seront jetées dans la boue » (17 octobre 1883) cela s'est en effet réalisé.

« De tous les SIÈCLES ÉCOULÉS, PAS UN N'AURA RESSEMBLÉ À CETTE ÉPOQUE » (24-12-1884).

Saint Michel : « N'ATTENDEZ PLUS RIEN, ABSOLUMENT RIEN DES HOMMES » (29-9-1878).

« LES TEMPLES DE DIEU OU L'ENFER A FAIT SA RÉSIDENCE ET SON CAMP DES LOIS... » Il est temps de lever les yeux vers le Ciel parce que SUR TOUS LES COINS DE LA TERRE, IL VA SE TROUVER DES ANTÉCHRISTS comme au temps du jugement dernier qui parcourront toute la terre pour pervertir... »

Elle voit le triomphe momentané de la Franc-Maçonnerie, le prêtre sécularisé... tous ces ennemis veulent que les églises deviennent le théâtre de danses infernales et poursuivront implacablement le but

19 — noté par l'Abbé Baudry.

d'obtenir la cessation des Saints Mystères. Et elle ajoute — le 29 mars 1879 — que cela se produira surtout dans les villes.

« L'Église abandonnée sera privée du Chef suprême qui la gouverne et la dirige. Pendant un espace de temps assez long, l'Église doit rester privée de toute prière, de tout office, exilée de Dieu et des Saints. Ils ont aussi le dessein d'enlever de tous les sanctuaires tous les Crucifix et les statues des saints et de les jeter dans un lieu profane pour les briser avec joie ».

Comment pouvait-elle — si elle n'était pas inspirée — prévoir ainsi dès le 9 juin 1880, tout ce que nous voyons se produire successivement sous nos yeux !...

Le 19 mars 1878, la Sainte Vierge fait connaître approximativement la date de la crise ultime : « Dans CENT ANS le Ciel aura cueilli sa moisson... AVANT MÊME LE TERME DE CENT ANS ». Nous n'en sommes donc plus éloignés.

Elle annonce que, pendant un temps les fidèles n'auront plus Lourdes pour guérir leurs maux, mais « LE SEIGNEUR VA FAIRE PARTOUT DES MIRACLES PLUS NOMBREUX QU'AU TEMPS DE SA VIE MORTELLE. A ces miracles, JAMAIS OPPOSITION PLUS GRANDE N'AURA EXISTÉ SUR LA TERRE ».

Jeanne-Louise Ramonet a reçu la même révélation à Kérizinen.

Notre-Seigneur précise :

« Tous les impies, la Maçonnerie, veulent réunir leurs forces pour se venger de Mon Saint Temple. LA CORRUPTION ET LE POISON VONT RÉPANDRE LEUR PUANTEUR ET MA SAINTE ÉGLISE VA SUBIR LES OUTRAGES QUI FERONT PLEURER LE CIEL ET LA TERRE... »

Et Il annonce l'introduction des ennemis de l'Église dans son sein :

« SOUS PEU, ILS VONT ENTRER AU POUVOIR DE TOUT ET CE SERA LA LIBERTÉ DU MAL... LE SAINT MINISTÈRE SERA COUVERT DE HONTE... Un murmure voilé règne dans le cœur de beaucoup de prêtres contre le lien de la Foi (le Pape) ».

Elle annonce fréquemment que les ennemis de l'Église vont pénétrer dans son sein « ET COMMETTRE D'HORRIBLES SCANDALES ET POUSSER L'ÉPÉE DANS LE CŒUR DE L'ÉGLISE. LA RAGE N'A JAMAIS ÉTÉ PLUS GRANDE ».

Elle assiste à un dialogue entre Notre-Seigneur et Lucifer et ce dernier réplique :

« J'attaquerai l'Église. Je renverserai la Croix, je décimerai le peuple, je déposerai dans le cœur un grand affaiblissement de la Foi. IL Y AURA AUSSI UN GRAND RENIEMENT. JE DEVIENDRAI POUR QUELQUE TEMPS LE MAÎTRE DE TOUTES CHOSES. J'AURAI TOUT SOUS MON EMPIRE, MÊME VOTRE TEMPLE ET LES VÔTRES TOUT ENTIERS ».

« Saint Michel dit que Satan aura pour quelque temps la possession de tout et qu'il régnera PLEINEMENT sur toutes choses ; que tout le bien, la Foi, la Religion, TOUT DESCENDRA DANS LE TOMBEAU... Satan et les siens triompheront joyeux, mais après ce triomphe, le Seigneur prendra les siens et à son tour IL RÉGNERA ET TRIOMPHERA DU MAL ET FERA SORTIR DU TOMBEAU L'ÉGLISE ENSEVELIE, la Croix anéantie... ».

Et le Chef des Milices Célestes ajoute (28 septembre 1880) :

« VOICI MON ÉPÉE FLAMBOYANTE, je veux en faire part aux amis du Sacré-cœur et leur offrir cette épée pour le combat car l'heure n'est pas éloignée où vous tous, peuple fidèle, IL FAUDRA PRENDRE LES ARMES DE LA FOI ET DU COURAGE POUR LUTTER CONTRE L'IMPLACABLE ACHARNEMENT DE L'ENFER CONTRE LA VENGEANCE DES HOMMES... ».

25 octobre 1881 :

« Vous êtes sur le point de voir CEUX QUI GOUVERNENT L'ÉGLISE... DONNER LEUR VIE, LEURS FORCES À CEUX QUI VONT ÉTABLIR UN GOUVERNEMENT FATAL,... FERMER LES SANCTUAIRES... LIVRÉS AUX DÉSORDRES DE L'ENFER... ».

Le 26 octobre 1882, Notre-Seigneur annonce un schisme de l'Église de France d'avec Rome :

« Le cœur du diocèse de... sera en une révolte qu'on ne pourra apaiser. Son cri, ses paroles menaçantes feront trembler les plus forts. Aux jours où les ténèbres de la grande vengeance vont envelopper le peuple de luttes et de combats, ce pasteur (l'évêque de...), comme les autres ne se soumettra pas aux ordres du Pontife Romain... Quand la puissance des hommes mortels — hommes souillés, corrompus, menacés de mort terrible — quand cette puissance va ordonner dans tout ce Royaume UNE RELIGION AFFREUSE... Je ne vois pas que le petit nombre entrer dans cette religion qui va faire trembler toute la Terre... Du haut de Ma gloire, Je vois entrer avec empressement dans cette religion coupable, infâme, sacrilège... J'y vois entrer des

La statue miraculeuse de Notre-Dame de la Bonne Garde

évêques... En voyant ces évêques, beaucoup, beaucoup... Ah ! mon Cœur est blessé à mort — et à leur suite tout le troupeau, tout entier et sans hésitation se précipiter dans la damnation et l'enfer, mon Cœur est blessé à mort comme au temps de ma Passion... D'autres marcheront à la suite de ces évêques de France... Si Je vous disais que pour fonder cette infâme et maudite religion des évêques, des prêtres ne partiront pas au second appel. Savez-vous bien, mes enfants, que mes évêques et mes prêtres ne seront pas pour CELUI QUE JE DESTINE À RESSUSCITER VOTRE PATRIE ; il y en aura très peu, très peu pour lui... « Ils seront contre le Roi... ».

Faudrait-il faire un rapprochement entre cette annonce prophétique et le développement extraordinaire du *Pentecôtisme* en Amérique et qui est en train de s'introduire en France par les têtes : il a été signalé, en effet, que dans une abbaye, le père abbé exigeait que tous ses religieux subissent la pseudo-bénédiction par l'imposition des mains de pentecôtistes sur la tête et que tel évêque, que nous pourrions nommer, somme certains de ses prêtres d'entrer dans cette hérésie...

Le Message du 25 octobre 1881 continue :

« LES PÉCHÉS LES PLUS ABOMINABLES SE COMMETTRONT SANS HONTE ET SANS REGRET... LE PLUS GRAND NOMBRE (des prêtres) SE TOURNERA DU COTÉ DU MALHEUR... « Car, dit la Sainte Vierge (24 septembre 1903) : il fallait que ce temps vînt pour eux, QU'IL Y EUT UN RÈGNE INFERNAL SUR LA TERRE AVANT LE RÈGNE DIVIN » et (19 septembre 1901) ajoute que ses révélations vont se réaliser « ces grandes promesses que les CHEFS MÊMES DE L'ÉGLISE ONT MÉPRISÉES. ILS N'ONT PAS VOULU VOIR LA LUMIÈRE... Il est inutile que le clergé se fasse plus longtemps illusion sur ses VOIES TORTUEUSES ET L'ABANDON DE LA PRIÈRE MENTALE ET VOCALE. Le pauvre peuple, qui y voit clair, a fini par s'éloigner de l'Église et cherche des divertissements ailleurs ; pauvre peuple, pauvre France, et pauvre clergé qui par son égoïsme a perdu la VRAIE LUMIÈRE DE LA SAGESSE ÉTERNELLE... ».

Aussi Marie-Julie annonce-t-elle qu'au temps de la crise ultime :

« Il y aura un grand nombre d'âmes obsédées, possédées par l'esprit infernal » et que pour exorciser ces âmes « Il faudra un grand nombre de pénitences, de mortifications aux pères de l'Église que le Ciel soumettra à cette dure épreuve » ; et elle ajoute : « Quand la prière de l'Église ordonnera à l'infernal de sortir, qu'on ne manque jamais d'être revêtu de la Croix qui est l'arme invincible qui le terrasse et lui impose sa rentrée aux enfers ».

De fait, depuis peu, ces cas d'obsessions et de possessions démoniaques se multiplient dans des proportions absolument insoupçonnées.

Dès le 27 novembre 1902, comme aussi le 10 mai 1904, Notre-Seigneur et la Très Sainte Vierge annoncent la *nouvelle messe.* Ecoutez :

« Je vous donne un AVERTISSEMENT. Les disciples qui ne sont pas de Mon Évangile sont maintenant en grand travail pour refaire à leurs idées, ET SOUS L'EMPIRE DE L'ENNEMI DES ÂMES, UNE MESSE QUI RENFERME DES PAROLES ODIEUSES À MES YEUX ».

« Quand l'heure fatale arrivera où l'on mettra à l'épreuve la foi de mon sacerdoce, ce sont (*ces textes*) qu'on donnera POUR CÉLÉBRER DANS CETTE SECONDE PÉRIODE... LA PREMIÈRE PÉRIODE, C'EST (*celle*) DE MON SACERDOCE QUI EXISTE DEPUIS MOI. LA DEUXIÈME, c'est (*celle*) de la persécution OU LES ENNEMIS DE LA FOI et de la Sainte Religion (*imposeront leurs formules*) dans le livre de la seconde célébration... CES ESPRITS INFÂMES SONT CEUX QUI M'ONT CRUCIFIÉ ET ATTENDENT LE RÈGNE DU NOUVEAU MESSIE » (20). (*Ce seraient donc les Juifs qui seraient à l'origine de la nouvelle Messe* ; et,

20 — Le 18 janvier 1881, Notre-Seigneur déclare :
« Dans ma sagesse éternelle, j'ai le dessein de réserver la vie à en nombre immense de juifs, car, au jour de ma réjouissance je veux les confondre. L'œil impie de toutes ces âmes restera ouvert car je veux qu'il voie ma puissance. Je leur réserve de voir de leurs yeux l'astre radieux que je ferai sortir du fond de l'exil (*le Grand Monarque*) sous un épouvantable orage de feu et sous les signes de ma colère... »

en effet, la formule de l'Offrande de la nouvelle messe s'inspire de la KABBALE JUIVE. Jean BUXTORF, dans sa « *SYNAGOGA JUDAICA* », édition de 1661, page 242, donne les formules suivantes :

- Pour le pain : « *Benedictus Tu, Domine Deus noster, mundi domine qui panem nobis a terra produxisti* ».
- Pour le vin : « *Benedictus Tu, Domine Deus noster, mundi domine qui vinæ fructum creaveris* ».

Et Notre-Seigneur ajoute :

« BEAUCOUP DE MES SAINTS PRÊTRES REFUSERONT CE LIVRE SCELLÉ DES PAROLES DE L'ABÎME ». Puis, tristement : « MALHEUREUSEMENT PARMI EUX IL EN *(EST QUI)* ACCEPTERONT, IL EN SERA FAIT USAGE... ».

Quand Il parle de *feuilles introduites* dans le « *Livre de la seconde célébration* », il semble que Notre-Seigneur annonce jusqu'aux falsifications ou élucubrations personnelles introduites dans la liturgie par combien de prêtres, de leur propre chef et sans aucune autorisation des autorités supérieures ».

On peut également se demander légitimement si Notre-Seigneur n'aurait pas annoncé la seconde édition de la Constitution « *Missale Romanum* » dans laquelle a été intercalée (subrepticement ? ...) une page (qui fausse toute la pagination de cette édition...) Constitution qui a comporté successivement trois éditions... Ce qui est un fait unique dans les Annales de l'Église !... Et la traduction française diffusée par la Salle de presse du Vatican falsifie le texte car, alors que le texte latin précise que l'utilisation du nouveau missel Romain est PERMIS en latin ... tandis qu'elle ne sera autorisée dans les langues vulgaires qu'après que les éditions, préparées par les Conférences épiscopales auront été approuvées par le Saint-Siège, cette traduction française porte : « NOUS ORDONNONS que les prescriptions de cette Constitution entrent en vigueur... » (21).

21 — Voir « *La Pensée Catholique* », novembre-décembre 1974, p. 40, l'article de M. Louis Salleron : « *Le problème de la Messe et l'obéissance* ».

C'est là où nous en sommes présentement. Et voilà pour l'avenir, la consommation de l'abomination sacrilège.

Dans l'extase du 3 juin 1880, Notre-Seigneur décrit comment Lucifer va procéder ; il s'adressera aux prêtres :

« Tu te vêtiras d'un grand manteau rouge... Nous te donnerons un morceau de pain et quelques gouttes d'eau. Tu pourras en faire tout ce que tu en faisais, quand tu étais au Christ...

— (Mais, dit Notre-Seigneur, ils n'ajoutent pas : CONSÉCRATION et COMMUNION).

Et l'enfer avait ajouté :

« Nous te permettrons de la dire dans toutes les maisons, et même sous le firmament ».

Et Marie-Julie voit « qu'il ne restera aucun vestige du Saint-Sacrifice, aucune trace apparente de foi. La CONFUSION sera partout... ».

Le 1er juin précédent : « Toutes les œuvres, approuvées par l'Église infaillible, un moment cesseront d'exister telles qu'elles sont aujourd'hui... Dans ce deuil d'anéantissement, des signes éclatants se manifesteront sur la terre. Si, à cause de la méchanceté des hommes, la Sainte Église devient comme ténèbres, le Seigneur aussi enverra des ténèbres qui arrêteront le méchant dans sa course au mal... ».

Le 20 octobre 1903, à Marie-Julie qui Le supplie de ne pas châtier, Notre-Seigneur répond :

« Ma fille, les pécheurs sont trop nombreux et très coupables. Ils ont abusé de mes grâces, CEUX SURTOUT QUI, PAR ÉTAT, ONT À LEUR DISPOSITION MON CORPS ADORABLE ET LE PROFANENT. NON, JE NE PEUX PLUS PARDONNER, IL FAUT QUE LA JUSTICE SOIT SATISFAITE. BIENTÔT VOUS AUREZ BESOIN DE TOUTE VOTRE FOI ».

Les chrétiens feront bien alors de se tourner vers Saint Joseph. En effet, ce dernier, le 19 mars 1905, après avoir annoncé que les châtiments seront augmentés parce qu'on n'a pas fait cas des avertissements de Notre-Dame à La Salette, ajoute :

« Eh ! quoi, on m'invoque bien peu... Et pourtant, je suis immédiatement après Jésus et Marie, qui se font un plaisir de tenir leurs trésors à ma disposition... Et sachez-le bien, j'ai plus de désir de vous exaucer que vous n'avez celui d'être exaucés... Pourquoi ? Oui, pourquoi m'invoquez-vous si peu !... ».

La Sainte Vierge ajoute :

« Satan est joyeux, il parcourt la terre ... dans la clôture de ses maisons où sont ses disciples vivants de sa doctrine, OU IL LEUR RÉVÈLE SES SECRETS SATANIQUES POUR PERDRE LES ÂMES. IL Y PORTE SES CONSEILS et (les chefs de ses suppôts) boivent à longs traits ses doctrines faites de SACRILÈGES et de SORTILÈGES » (5 janvier 1904).

Le 10 mai 1904, Elle précise sur le nouveau clergé et sa messe :

Dans ce chemin odieux, sacrilège, ils ne s'arrêteront pas là, ils en arriveront à d'autres QUI COMPROMETTRONT TOUT À LA FOIS ET D'UN SEUL COUP LA SAINTE ÉGLISE, LE CLERGÉ, LA FOI DE MES ENFANTS... ». Elle annonce la « DISPERSION DES PASTEURS » par l'Église elle-même, vrais pasteurs, qui seront REMPLACÉS PAR D'AUTRES FORMES PAR L'ENFER, INITIÉS À TOUS LES VICES, À TOUTES LES INIQUITÉS, PERFIDES QUI COUVRIRONT LES ÂMES DE SOUILLURES... NOUVEAUX PRÉDICANTS DES NOUVEAUX SACREMENTS, DE NOUVEAUX TEMPLES, DE NOUVEAUX BAPTÊMES, DE NOUVELLES CONFRÉRIES... ».

En effet, certains membres du clergé, et même des professeurs de facultés dites catholiques, ne vont-ils pas jusqu'à recommander les essais pré-nuptiaux et les expériences féminines pour les séminaristes !

Qu'ont-ils fait pour empêcher la loi sur l'assassinat légal des enfants avant leur naissance ? Quelle lutte ont-ils menée contre l'éducation sexuelle à l'école ?

Elle précise :

« LES JUSTES SONT DANS LE TAMIS DE JÉSUS... MAIS CEUX-LÀ SONT SURS DE JOUIR DE LE VOIR ET DE FORMER SA COUR GLORIEUSE. JE NE PUIS PLUS RIEN FAIRE DÉSORMAIS. PRIEZ, IL N'Y A PLUS QUE CE REMÈDE, qui sera l'aliment fort des âmes (11 octobre 1904).

Monseigneur Fournier, Évêque de Nantes

Le même jour, Notre-Seigneur ajoute, à son tour :

« Mon Cœur se brise d'angoisse. Je cherche des âmes pures pour y enfoncer tous les glaives qui ont percé le Mien dans la première Passion. Tous ces glaives transperceront tour à tour toutes les victimes de Jésus. Il faut des souffrances, il faut des croix. (ce sera si terrible) que ce ne sera plus une vie sur la terre, mais martyres sur martyres, cruautés sur cruautés, tyrans sur tyrans, bûchers sur bûchers, tyrannies sur tyrannies ».

Le 5 janvier 1904, il précise :

« Les âmes qui m'aiment verront... mon Temple par endroits renversé et, en d'autres lieux des profanations si immondes que les siècles passés n'ont pas laissé de pareils souvenirs... »

Il est certain que plus une crise est grave, plus Notre-Seigneur cherche des âmes victimes pour faire cortège à ses mérites infinis. Il nous souvient qu'en fin février 1940, un jour que nous nous promenions avec deux autres camarades officiers, très catholiques et susceptibles de comprendre, nous leur avons dit : « Une crise grave approche certainement à grands pas car, d'après mes informations, les âmes privilégiées que je connais voient leurs souffrances augmenter considérablement et le nombre de ces âmes victimes augmente également d'une manière impressionnante ».

« Notre-Seigneur aime tant notre France, le Royaume spécial de Sa Mère, que le sachant en péril, Il suscite un plus grand nombre d'âmes et multiplie leurs souffrances consenties par elles pour diminuer d'autant le châtiment mérité par notre malheureux Pays », et nous ajoutâmes : « Il y aurait une étude passionnément intéressante à faire — mais qui ne pourrait l'être que par un théologien compétent et très au courant de l'histoire de la mystique : celle du parallélisme certain entre, d'une part, la gravité de la situation de l'Église et de la France et d'autre part, le nombre des âmes victimes et de l'intensité de leurs souffrances et expiation ». De fait peu après se produisait l'écroulement de l'Armée Française et la plus colossale défaite de l'histoire de France...

Et le 4 août 1904 :

« Je soutiens mes élus, Je suis leur force. JE LES ÉPROUVE MAINTENANT POUR LES CONSOLER PLUS TARD, au moment de la désolation, de l'abomination. Là JE LES TIENDRAI DEBOUT... JE SERAI LEUR ROI, ILS SERONT MES SUJETS. N'attendez aucune amélioration ; au contraire, vous verrez CONTINUELLEMENT LE MAL AUGMENTER, les désordres injustes se multiplier... JUSQU'À L'HEURE OU JE ME LÈVERAI À MON TOUR... »

Marie-Julie a annoncé que les trois quarts de la population du globe disparaîtrait dans la crise ultime ; d'affreux tremblements de terre, des épidémies de maladies inconnues dont les ravages seraient affreux, de terribles famines, intempéries, cyclones, soulèvements des océans entraînant d'épouvantables raz de marées...

La crise ultime se divisera en trois parties :

- La première, longue et douloureuse où se manifestera la vengeance divine au cours de laquelle les parties les plus coupables seront détruites. « Ce coup de la justice ne fera que les irriter ».
- La seconde, plus courte, mais plus redoutable, plus sinistre : « Mon Divin Fils, voyant que tous les coups ne peuvent ramener son peuple au pardon, et à la miséricorde — âmes perdues — Il frappera plus terriblement encore »...
- La troisième :
  « Il faut que tout soit perdu de fond en comble. C'est là, mes enfants bien-aimés,, où le Saint ARCHANGE MICHEL, qui attend les ordres célestes, descendra avec ses armées pour combattre avec mes bons enfants, LES VRAIS ET BONS ENFANTS DE LA VICTOIRE... LA JUSTICE PASSERA PARTOUT. PENDANT TOUT CE TEMPS, VOUS N'AUREZ PLUS LE PAIN DES FORTS... PLUS D'APÔTRES, VOUS N'AUREZ QUE VOTRE FOI comme aliment, QUE MON DIVIN FILS COMME SOUVERAIN PRÊTRE POUR VOUS PARDONNER »...
  « Mes chers enfants, toutes les âmes qui seront logées dans son Divin Cœur ne courront aucun danger ; elles n'auront qu'une

faible connaissance des traits de sa colère. Elles seront enfermées dans cette mer immense de prodiges et de puissance, pendant ces grands coups de la justice divine» (17 août 1905).

Et Marie-Julie annonce les trois jours de ténèbres pendant lesquels les puissances infernales déchaînées exécuteront tous les ennemis de Dieu. «LA TERRE DEVIENDRA COMME UN VASTE CIMETIÈRE. Les cadavres des impies et des justes joncheront le sol (22). La famine sera grande... Tout sera bouleversé... LA CRISE ÉCLATERA SUBITEMENT ; LES CHÂTIMENTS SERONT COMMUNS À TOUT LE MONDE ET SE SUCCÉDERONT SANS INTERRUPTION... (4 janvier 1884).

Les trois jours de ténèbres «SERONT LE JEUDI, LE VENDREDI ET LE SAMEDI, jours du Très Saint-Sacrement, de la Croix et de la Sainte Vierge...» Trois jours moins une nuit.

---

22 — Dans de nombreux faits mystiques, il est précisé que les bons seront protégés miraculeusement. Comment donc expliquer que *les cadavres des justes joncheront le sol ?* — La réponse paraît simple : les faits mystiques ne sont pas articles de foi, pas même les Apparitions reconnues par l'Église, telles Lourdes, La Salette, Fatima, etc. ... Or, il est incontestable que le plus grand nombre des chrétiens fervents et pratiquants refusent de reconnaître ou d'accepter ces faits ; il n'en sont pas moins de bons fidèles, des justes. Or, précisément il est annoncé que «ceux qui auront cru, ceux-là seront sauvés» car leur foi leur aura fait penser que Notre-Seigneur, la Sainte Vierge ou les Saints ne se désintéressaient pas de l'Église Militante, que leurs interventions ne se produisaient pas sans raison et qu'ils ne venaient pas pour ne rien dire, ni rien faire. La foi de ceux-là sera récompensée par une miraculeuse protection. Ajoutons que parmi les victimes de la persécution pourront se trouver ceux qui se seraient offerts en victimes...

Le 24 mars 1881, Elle ajoute :

«Ceux qui M'auront bien servie et invoquée, qui posséderont dans leur demeure mon image bénite, qui garderont sur eux leur chapelet et le diront souvent, JE GARDERAI SANS DOMMAGE TOUT CE QUI LEUR APPARTIENT... La chaleur du Ciel sera si brûlante qu'elle sera insupportable, même dans les demeures fermées. Tout le ciel sera en feu, mais les éclairs ne pénétreront point dans les maisons où il y aura la lumière du cierge bénit. Cette lumière, c'est la seule chose qui vous protégera».

« La Terre sera couverte de ténèbres, dit la Sainte Vierge le 20 septembre 1882, et les enfers seront sur la Terre. Les éclairs et l'orage feront mourir de peur ceux qui n'auront pas la Foi ni confiance dans ma Puissance ».

Pendant ces trois jours épouvantables de ténèbres, il ne faudra ouvrir aucune fenêtre, car personne ne pourra voir la terre et l'horrible couleur qu'elle aura dans ces jours de punition sans mourir aussitôt... Le ciel sera en feu ; la terre se fendra... Pendant ces trois jours de ténèbres que le Cierge bénit soit partout allumé, aucune autre lumière ne brillera »...

« Pas une âme hors des abris... ne survivra. La Terre tremblera comme au jugement et l'effroi sera immense... Oui, Nous écouterons les prières de tes amis ; pas un seul ne périra, nous aurons besoin d'eux pour publier la gloire de la Croix » (8 décembre 1882).

« Les cierges qui seront en cire bénite pourront seuls donner de la lumière pendant cette horrible obscurité. Un seul cierge suffira pour tout le temps que durera cette nuit de l'enfer... Dans les maisons des impies et des blasphémateurs ces mêmes cierges ne donneront aucune clarté ».

Et la Sainte Vierge précise :

« Tout tremblera excepté le meuble sur lequel brûlera le cierge de cire bénit. Celui-là ne sera nullement ébranlé. Vous vous grouperez tout autour avec le Crucifix et mon image bénie. Voilà ce qui éloignera cette frayeur ».

Pendant ces ténèbres, les démons et les impies prendront des formes les plus hideuses... Des nuages rouges comme du sang parcourront le ciel ; le fracas du tonnerre ébranlera la terre et les éclairs sinistres sillonneront le ciel dans une saison où ils ne se produisent pas. La terre sera remuée dans ses fondements. La mer se soulèvera, ses vagues mugissantes se répandront sur le continent... »

« Les impies commettront toutes sortes d'horreurs. Les Saintes Espèces seront dispersées par les chemins. On les retrouvera dans la boue. Les prêtres ainsi que les fidèles les recueilleront et les PORTERONT SUR LEUR POITRINE» (17 octobre 1883).

«J'ai compris que les anges emporteraient beaucoup de tabernacles des églises pour soustraire le Saint-Sacrement aux outrages» (23 décembre 1881).

29 septembre 1877 (*dossier Charbonnier* - Roberdel p. 37) :

«La Croix de Saint Michel s'illumine comme un flambeau. Toute la France se range autour du Trône du Divin Jésus. Saint Michel, debout, revêtu de toute sa gloire, tient son épée... Jésus lui donne l'ordre de séparer les bons d'avec les méchants. Le Saint Archange descend, le visage rayonnant et met une barrière entre les bons et les méchants... Je vois que la lutte va s'engager entre Saint Michel et l'Enfer, entre le bien et le mal... Marie Immaculée veille sur nous, que pouvons-nous craindre ?

Saint Michel dit :

«Je suis après Dieu, votre protecteur, votre soutien et votre appui. Ayez recours à moi. Si vous connaissiez mon Pouvoir, vous seriez plus empressés à m'adresser chaque jour vos prières».

Le 20 septembre 1877.

«La France refuse toujours de revenir à Dieu. Le Divin Jésus s'adresse à nouveau à Son Père :

«Mon Père, c'est pour Moi une grande douleur de frapper... mon peuple... Mon Père, Mon Père, jetez vos regards sur la terre, c'est la France, la France que j'aime tant».

La Très Sainte Vierge :

«Mon Fils bien-aimé. la France, JE L'AI ADOPTÉE POUR MA FILLE, Je l'ai toujours protégée, ELLE ÉTAIT LE LYS DE MON CŒUR ...»

L'Archange Saint Michel :

«Seigneur, tous les damnés ont déserté l'enfer et semblent parcourir la France... pour jeter partout leur poison et leur venin...»

Notre-Seigneur répond :

« Saint Archange, c'est le temps de son règne, mais ce temps s'écoulera avec rapidité. Puis il rentrera dans les abîmes pour n'en plus sortir ; il sera enchaîné étroitement et ses chaînes ne se briseront jamais ».

Le 26 décembre 1877, à Lucifer qui venait de dire : « Il faut fouler aux pieds la Fleur de Lys ».

**Marie-Julie et ses amis,
Monsieur et Madame Cluzeau,
chargés de relever les extases à la fin de sa vie.**

Marie-Julie répliqua :

« Satan n'AIME PAS LE ROI. Ah ! je ne suis pas comme lui ! car moi je l'aime bien ! »

Et celle-ci :

« On entend deux grands cris sortir de la gauche... C'est le cri de la France, Notre-Seigneur dit :

« Je connais cette voix déchirante. Celle qui pousse ces cris navrants souffre pour elle et pour ses enfants ; mais comment réparera-t-elle jamais les souffrances cruelles dont elle M'a accablé depuis qu'elle a renié ma Croix et dédaigné mes ordres » ?

La bonne Mère intercède aussitôt :

« Mon Fils bien-aimé, sa voix Vous supplie. De grâce ayez pitié de sa misère.

— « Ma Bonne Mère chérie, avant qu'elle rentre dans sa gloire, elle souffrira de grands maux ».

Après une lutte de la France qui refuse les secours de Saint Michel et ensuite celui de la Sainte Vierge, Celle-ci enchaîne la France et l'oblige à la suivre. Elle est amenée aux pieds de Jésus qui la juge et passe en revue tous ses crimes, puis II lui dit :

« OU EST LA FLEUR BLANCHE (LE LYS) QUI FAISAIT LA COURONNE RADIEUSE DE TON FRONT ? »

— « Ils m'ont ôté ma couronne blanche... »

— « Lève ton front et tes yeux vers Moi ».

— « Seigneur je ne suis pas digne de Vous regarder, je ne pourrais Vous voir, je suis aveuglée par mes crimes... »

Jésus lui présente le Lys en lui disant :

« France coupable, le reconnais-tu » ?

— La France avoue son péché...

« France coupable, ACCEPTE CE LYS, JE TE LE DONNE ».

La France répond :

« Celui qui a fait mon malheur n'est plus. Il m'avait fait croire que la couronne de Lys serait ma perte, IL M'A JETÉE DANS LES TÉNÈBRES. Seigneur je ne puis en sortir sans Vous ».

Mais la France repousse toujours la Croix, car la Croix c'est la souffrance... La Sainte Vierge et Saint Michel soutiennent la France. Mais Notre-Seigneur ordonne à Saint Michel et aux bons anges de creuser une tombe pour la France afin qu'elle rentre dans la terre pour en sortir plus tard, glorieuse et triomphante...

Saint-Michel reproche alors aux franc-maçons d'avoir séduit la France et leur annonce qu'il va les réduire en cendres... Ils répondent :

« On veut couronner la France de Lys. Nous lui donnerons pour couronne et diadème le ruban rouge »...

Le 31 août 1900. Notre-Seigneur regarde la Chambre des députés : (23) ...« Son regard courroucé se fixe sur ce lieu d'où sortent les lois, ce lieu OU IL N'Y A PLUS DE ROI, mais les ennemis de Jésus qui règnent et commandent », et : (24) « La France si belle autrefois, a perdu son honneur et sa dignité. Elle sera envahie par les peuples étrangers sans cœur et sans pitié ; ils déchireront ses enfants, ils abattront ses enceintes, ils coucheront à terre ses saints Temples. Le Seigneur et ses ministres seront frappés, tachés, sans demeure »...

...« l'étranger entrera dans la Fille Aînée de l'Église avec toute son armée et il fera une longueur d'un espace mesuré par Moi ; et Je les arrêterai. Et dans cet arrêt, Je susciterai le Sauveur du reste de mes enfants. Il traversera l'Est et semblera sortir du fond du Nord »...

Le 12 mai 1881. La Très Sainte Vierge parle de « l'aurore du beau matin où le Ciel transparent laissera voir venir de loin « L'APPELÉ DE L'ÉTERNEL » le « juste », « l'homme de Dieu », « la paix et le salut de son peuple », celui que la France « placera sur son cœur », dira-t-elle avec son Divin Fils en d'autres apparitions.

Le 5 janvier 1882. La Sainte Vierge pleure sur les ruines futures de Paris, mais, à quatre reprises annonce le SAUVEUR INCONNU, et la glorification de Louis XVI, sous le règne du futur Roi.

Marie-Julie parlant alors de l'apparition de la Salette précise qu'il y eut un silence entre la Sainte Vierge et Maximin, ce qui confirme (25) :

1° le secret donné à Maximin et

2° que ce secret concerne bien le grand Roi, « *le Sauveur inconnu* ».

23 — Dr Imbert-Gourbeyre ch. 14 § 1, p. 145.

24 — idem, au ch. 5.

25 — Dr Imbert-Gourbeyre — *Prophéties de Marie-Julie* — ch. XII, § 15.

Le 16 septembre 1904 (26) :

... « La moitié de la population de France sera détruite. Après les punitions, il y a des villages où il ne restera plus une âme. Quatre villes de France disparaîtront ».

... « Je n'ai plus de puissance, Je ne peux plus arrêter le bras de Mon Fils... ».

« ... Mes enfants, la résolution de mon Divin Fils est de tout laisser aller jusqu'au bout. Il n'y a plus que la PRIÈRE ».

« Mon Divin Fils et Moi, ferions-nous sur la terre des prodiges plus grands que tous ceux de la Judée ; que tous les miracles du passé. Toues ces merveilles seraient tournées en dérision ; on insulterait davantage Mon Divin Fils et Sa Sainte Mère » (27).

« Enfin c'est l'aveuglement, c'est un voile infernal tissé par l'ennemi jaloux des merveilles et des puissances de Mon Divin Fils ».

« A. la place des merveilles, il faudra des coups, des décimations : « Oui, UNE DÉCIMATION ÉPOUVANTABLE »...

Le 29 septembre 1881 (28) :

Notre-Seigneur me dit encore que :

« Le sanctuaire de Montmartre allait devenir en peu de temps la maison de leurs conseils et de leur perfide développement pour la destruction dernière des chapelles, des religieuses, et encore des religieux ; et en même temps, la clôture de tous les lieux des apparitions ; la violation des lois de l'Église jusqu'à un point où nul esprit ne pourrait penser ».

Le 27 janvier 1882, à propos de Montmartre et de Sainte Geneviève :

Notre Seigneur me dit :

« Mon Sanctuaire de Montmartre est déjà destiné pour servir de théâtre aux impies et à tous ceux qui sont mêlés dans les lois humaines ».

---

26 — idem, ch. XIV, § 16 p. 13.

27 — idem,.§ 22.

28 — idem, ch. III, § 6, p. 9 (Abbé Cailleton).

Il me dit :

« Le lieu de Prière de Sainte Geneviève n'allait pas tarder à devenir un théâtre de danses, de crimes les plus infernaux... » (29).

Notre-Dame des Victoires :

« La Sainte Vierge me dit encore que :

« Le sanctuaire de Notre-Dame des Victoires résisterait aux boulets, aux mitrailles des instruments de la terre et que la protection miraculeuse du Ciel le conservera au milieu des débris... » (30).

« Ce sera dans cette 3e crise QUE VIENDRA LE SALUT. LÀ, SORTIRA DU CENTRE DE SON SACRÉ-CŒUR LE SALUT, ou pour mieux dire, CELUI DESTINE À APPORTER LA PAIX. AVEC SON COURONNEMENT TOUS LES MAUX FINIRONT. Mes enfants, IL DESCEND DE LA BRANCHE DE SAINT LOUIS, mais cette Sodome ne le possède pas » (c'est-à-dire qu'il n'est pas en France) (17 août 1905).

Extase de Marie-Julie du 25 août 1874 :

« Je vois Saint Louis dans sa gloire ; Il était autrefois sur le trône du monde, mais aujourd'hui il est sur un trône du Ciel. Il était sur un trône qu'il n'a jamais souillé : « Mais depuis, dit ce bon Saint Louis, que de blasphèmes, que de parjures sur ce trône du monde. Je reviens faire l'alliance du Ciel et de la terre ».

— Vous réconcilierez la France avec le Cœur de Jésus.

« Je veux que la France abjure ses erreurs. Marie Immaculée me donne des pouvoirs et des grâces. Je donnerai à la France par mes prières un baptême nouveau, puis après je lui rétablirai son trône. Je lui apporterai cette Belle palme de pureté au milieu de ce trône et mon frère en Jésus-Christ qui la gouvernera conservera l'innocence et la pureté, et Jésus et Marie le béniront, béniront sa charité et sa grande foi héroïque » (31).

---

29 — Dr Imbert-Gourbeyre — *Prophéties de Marie-Julie* — ch. III, § 8, p. 10. (Abbé Cailleton).

30 — idem, ch. IV, p. 18, § 18.

31 — Journal XV, — 73.

Quel sera donc ce Grand Roi ?

Marie-Julie m'a toujours assuré que Notre-Seigneur et la Très Sainte Vierge lui avaient souvent affirmé que les d'ORLÉANS ne régneraient jamais, le droit et la justice s'opposant à ce qu'on hérite de celui qu'on a assassiné. Elle n'a jamais cessé de me dire qu'il descendait de LOUIS XVII, mais d'un LOUIS XVII dont la trace a été perdue. Le Ciel lui a toujours parlé du ROI CACHÉ, car DIEU NE VEUT PAS QU'ON LE CONNAISSE afin que les francs-maçons, les républicains ou certains prétendants ne tentent pas de l'assassiner. Cela exclut donc TOUS les prétendants comme aussi tous ceux qui se disent descendre du ROI et de la REINE martyrs, notamment les NAUNDORFF dont toute l'affaire a été montée par les Loges, pour permettre au Pouvoir Occulte Luciférien de disposer d'un pseudo-prétendant — l'autre étant le d'Orléans — au cas où les circonstances l'y obligeraient...

Ecoutez cette première vision qu'a eue la pieuse stigmatisée ; celle-ci concernant la France, le Grand Monarque et le Saint Pape annoncés par tant de prophéties :

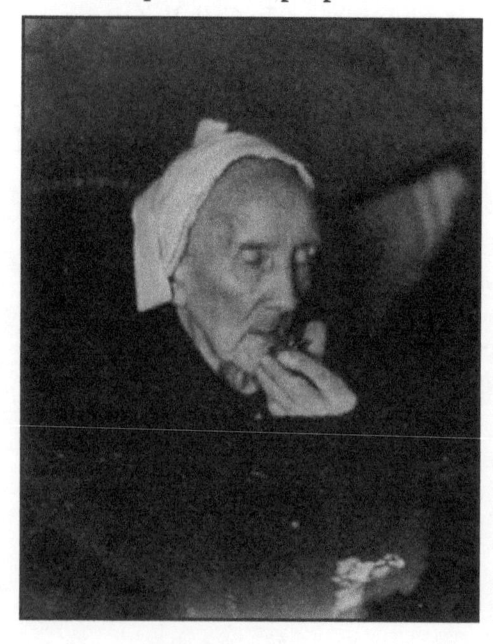

Marie-Julie baise la relique de la vraie lance qui a percé le Cœur de Notre-Seigneur. Au cours d'une extase, Notre-Seigneur a précisé que la relique contenait une parcelle de son Cœur. Cette relique insigne appartient personnellement à Madame de la Franquerie.

La Vierge s'adresse au Saint Pontife :

« Au pied de la montagne, dans un rocher, je vois comme une prison solitaire et là est enfermé un vieillard à cheveux blancs. Ses traits sont resplendissants. Il porte une croix sur la poitrine (peut-être la stigmatisation ? ...) ; le Bon Maître s'avance vers lui, le vieillard se prosterne et Jésus l'embrasse : « Mon Fils bien-aimé, martyr de la Sainte Église, prisonnier du Sacré-Cœur, repose-toi sur Moi afin que j'adoucisse tes peines... Sèche tes larmes. Depuis longtemps tu portes la Croix, mais bientôt Je te rendrai tous tes droits ravis, et ta liberté...

« La Bonne Mère essuie les larmes du vieillard avec son manteau ; puis, sous ses habits, Elle passe une branche de Lys à cinq feuilles d'or, en lui disant : « Voilà ta force et ta consolation ».

« Tous les anges sont là, au pied du Trône Céleste avec la Sainte Vierge qui offre à Son Divin Fils une belle bannière blanche ornée de Deux Fleurs de Lys (Le Saint Pape et le Grand Roi). La Sainte Vierge présente la COURONNE DU ROI DU MIRACLE, du SAUVEUR DE DA FRANCE, AINSI QUE LA COURONNE DU PAPE que le Roi libérera ».

Et encore cette admirable vision du 19 avril 1875 :

Elle est transportée dans un désert aride et désolé au milieu de ténèbres confuses. Devant elle était un tombeau, celui de la France ; il s'exhalait des odeurs méphitiques qui ne permettaient pas de s'en approcher.

Tout à coup une lumière brillante et Jésus-Christ descend, ouvre le sépulcre, se penche sur le cadavre et le prend dans ses bras, doucement, comme Saint Joseph prenait l'Enfant Jésus. La France se réveille et le Sauveur lui parle avec amour, dans un langage tout embaumé des divines ardeurs du Cantique des Cantiques. Il lui promet de prochaines bénédictions, de prochaines gloires, de prochains triomphes QUI DÉPASSERONT TOUTES LES VICTOIRES PASSÉES parce qu'elle pleure ses fautes, qu'elle se repent, qu'elle se jette avec amour dans le Sacré-Cœur. Puis Jésus la recouvre et disparaît.

Quinze jours après, le 4 mai 1875, encore le tombeau de la France, mais elle en est sortie. Elle se tient immobile devant Jésus-Christ qui lui sourit tendrement, elle est enveloppée d'un long suaire noir : ce sont ses crimes. Jésus-Christ l'en dépouille jusqu'à la hauteur de la poitrine. Il lui couvre la tête d'un voile éclatant de blancheur, puis il arrache de son Cœur un Lys fleuri et le plante dans le cœur de la ressuscitée.

Encore quinze jours après, le 19 mai 1875 : Marie-Julie voit la France, Fille de Jésus-Christ, presque montée au dernier degré du Trône sur lequel Il était assis. Son suaire noir était entièrement tombé, le Sauveur le foulait sous Ses pieds et la France aussitôt se parait d'un manteau blanc couvert de Lys d'or qui l'enveloppait des pieds à la tête.

Et dans la vision suivante, quelques jours après, le 24 mai 1875, Jésus-Christ était assis sur un trône resplendissant ; il y avait auprès de Lui, Sa ivière. La France se présente toute vêtue de blanc et de Fleurs de Lys. Elle est déjà couronnée, mais pas encore de la Grande Couronne qui ne lui sera donnée qu'à l'heure de son salut. De son cœur sortait le Lys que Jésus-Christ y avait déposé, elle était chargée de fleurs. Parmi ces fleurs, il y en avait une qui brillait plus grande et plus éblouissante. La France gravit les marches du Trône, la Vierge priait, souriait et pleurait ! Son Divin Fils s'écrie alors qu'Il est vaincu, qu'Il ne peut résister, qu'Il oublie, qu'Il pardonne : « A vous désormais, Ma Mère, à Vous seule, de commander et de fixer l'heure de la Victoire de Votre Fille bien-aimée ! « Et prenant dans son Cœur une goutte de Sang et une larme aux yeux de la Sainte Vierge, Il dépose ce mystérieux mélange dans la grande fleur du cœur de la France.

A la droite du Trône était agenouillé le Pape (le Saint Pontife).

Jésus-Christ l'appelle et le nomme « son cher Fils ». Il le fait monter à Ses côtés, puis il lui dit : « Tu as assez souffert ; il est temps que tu sois consolé et que tes ennemis disparaissent afin que ta gloire règne en souveraine dans l'Univers ».

Le Pape, en pleurs et pressé sur le Cœur de son Maître, s'écrie qu'il ne mérite pas une telle récompense, qu'il est indigne de telles splendeurs.

A gauche, du Trône était le Roi. Il monte à son tour, mais un peu moins haut que le Pape et reçoit lui aussi les divines promesses. Il est le fils bien-aimé de la Vierge et il régnera avec son drapeau symbole de pureté et de gloire. (C'est-à-dire le Drapeau Blanc fleurdelye). Cependant tous les grands Saints qui protègent la France, planaient alentour. Au premier rang, revêtu de ses armes, Saint Michel semblait attendre fièrement l'heure de la lutte contre le mal.

Trois semaines après, le 15 juin 1875, vision analogue à la précédente. C'est encore le Roi amené par la Sainte Vierge, qui l'aime comme son Fils à cause de son innocence. Il apparaît en Souverain couronné de grandeur et ombragé par les plis de son drapeau. Bientôt, le tableau change et se complète : La France suit son Chef Légitime, marche reposée sur le Cœur de la Vierge et sa petite couronne se transforme en diadème de victoire. Le Sacré-Cœur s'unit à Marie pour l'assurer de Son Amour et lui annoncer une fois de plus qu'il vaincrait ses ennemis dans un triomphe sans égal. « La France est sauvée » ! répète sans cesse Marie-Julie. Les bons amis du Sacré-Cœur sont groupés en masses profondes derrière la France, précédés de tous les Saints qui protègent la Fille Aînée de l'Église.

Voilà encore une autre vision qui donne des précisions sur le moment où le salut s'opérera :

« Au moment où tout sera au désespoir... ce sera l'instant de la Victoire. Ce sera l'instant où tous les forfaits et les impiétés retomberont sur ceux qui les auront commis.

Notre-Seigneur, s'adressant à la France : « J'enverrai Saint Michel, prince de la Victoire, apporter le Lys au chevet de ta tête ». Et la Sainte Vierge ajoute : « Mon Divin Fils et Moi avons réservé la Fleur de Lys. Restez, enfants fidèles, dans la simplicité de vos opinions ». (fidèles à Dieu, et au Roi, au Grand Monarque). Tous les anges sont là, au pied du Trône Céleste avec la Sainte Vierge qui offre à Son Divin Fils une belle bannière blanche ornée de Fleurs de Lys (Le Saint Pape et le Grand Roi, tous deux du Sang Royal de France... ?)

Le 21 juin 1874 :

« J'ai voulu donner à la France un Roi qu'elle a refusé, MAIS CELUI QUE JE VEUX LUI DONNER, ELLE L'ACCEPTERA ET ELLE LE DEMANDERA, LE PLACERA SUR SON CŒUR. Mais avant d'avoir ce roi, la France aura une crise et une tempête violente. Le sang des chrétiens se mêlera avec celui de l'impie. Les justes tomberont en petit nombre., mais il en tombera, car le sang des bons servira aux méchants. Mais ce temps passera vite ; le tout fera des étangs de sang. Ce temps sera court, mais vous paraîtra long » (32).

Le 12 mai 1881 et le 29 novembre 1881 :

« Le grand Roi » est appelé par Notre-Seigneur et la Très Sainte Vierge : « L'HOMME DE DIEU », « L'APPELÉ DE L'ÉTERNEL », « LA PAIX ET LE SALUT DE SON PEUPLE (33). « LE ROI DU MIRACLE », le « Sauveur de la France »... « choisi dès sa naissance pour ramener en France le Lys et le drapeau blanc » (34).

Notre-Seigneur, s'adressant à Marie-Julie, le 14 février 1882 :

« Du ciel tu verras le triomphe de l'Église planer sur le front de mon vrai serviteur HENRI DE LA CROIX ; son nom est écrit au Livre d'or ». puis Il ajoute :

« Après ce triomphe, le Pasteur fidèle posera sa main consacrée sur la tête de Celui que le Ciel aura conduit et amené par une voie miraculeuse ».

et précise :

« Mon dessein est qu'après qu'il aura reçu la sainte bénédiction il s'achemine avec mes nobles défenseurs portant la bannière blanche jusqu'à ce lieu d'où sont sortis les Messages de salut (la chaumière de Marie-Julie). L'appelé de ma puissance y déposera la bannière blanche, le signe de la victoire » (9 février 1882).

Quand paraîtront-ils ? Au moment de l'incendie de Paris, semble-t-il. « Voilà l'heure et le moment. A nous la Victoire ! C'est le

32 — Dr Imbert-Gourbeyre — *Prophéties de Marie-Julie* — Ch. XVII.§ 2).

33 — idem, ch. XVII § 20 et 21, Abbé Cailleton.

34 — La Sainte Vierge, le 6 décembre 1877.

petit nombre qui sera vainqueur». Puis l'Archange découvre l'Étendard de la France. La Sainte Vierge s'avance et présente le Lys et lui met la Couronne... »

Le Père Éternel descend alors et dit à Son Divin Fils : « Voilà ma volonté : QUE TOUT PÊCHEUR, QUE TOUT IMPIE SOIT EXTERMINÉ».

L'aiguille de l'heure du châtiment est arrêtée entre la douzième et la treizième heure, irrévocable, malgré les supplications de la Sainte Vierge...

Notre-Seigneur dit :

« Mes enfants bien-aimés, mes disciples, mes serviteurs, Je viens vous récompenser et vous montrer la place de celui que vous aimez. Voilà son partage, sa palme, sa couronne, son arme de bénédiction et de paix, de victoire, de triomphe, de délivrance».

Puis, s'adressant au Roi :

« Entends-tu ma voix, O Fils bien-aimé ? Toi, qui depuis si longtemps foules la terre étrangère, ne vois-tu pas le chemin où j'enverrai à ta rencontre les princes des Armées Célestes, mes séraphins ; mes chérubins avec leurs ailes, afin que ce triomphe soit beau comme celui d'un Roi de prédilection et de bénédiction ? Mon Fils bien aimé, sèche tes pleurs, le Lys sera ton frère (le Saint Pape), et ma Mère sera ta Mère (le Grand Roi est orphelin) et c'est sur ton front que le Lys s'épanouira toujours. Puis, de ton front, il s'épanouira sur ton Trône, de ton Trône sur la France, ton Royaume réservé, et de là au-dehors des frontières françaises, jusque sur la Ville Éternelle».

« Le Roi doit venir au fort de l'orage. Il sera gardé sain et sauf parce que la Mère de Dieu le garde comme son propre Fils et l'a réservé pour être l'héritier d'une couronne méritée qui lui a été ravie... Laissez dire et affirmer aux hommes qu'il ne viendra jamais, puis demandez-leur s'ils sont prophètes... »

Saint Michel dit :

« Je les ai portées (les Fleurs de Lys) dans le Cœur de Jésus, et du Cœur de Jésus, dans le cœur du nouveau Roi par le cœur d'un Roi qui a donné son sang et que l'Église béatifiera (Louis XVI, le Roi martyr)».

Et le 6 octobre 1877, la Sainte Vierge :

« Comptez, mes enfants, que ce Saint Roi est déjà au nombre des Saints et que le Ciel célébrera une fête en plaçant ses reliques sur les Saints Autels.

Ces affirmations Célestes, venant en conclusion de cette magnifique vision n'aurait-elle pas pour but de nous suggérer que les *« Deux Fleurs de Lys »*, le Saint Pape et le Grand Roi, descendraient tous deux du Roi Martyr ? Sans même connaître cette Descendance, restons fidèles au principe de la Survivance qui est la SEULE VÉRITÉ et faisons confiance à Dieu qui saura la révéler à Son heure, puisque telle est Sa Volonté.

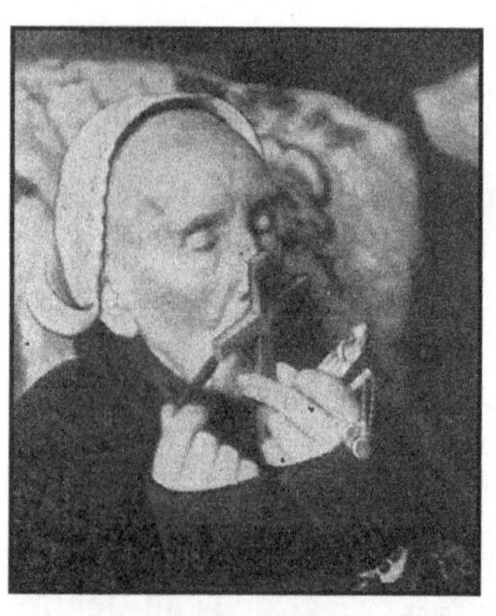

Marie-Julie ajoute :

« Le triomphe des vivants sera beau quand la Sainte Église, aujourd'hui entourée d'épines, se verra entourée d'une COURONNE DE LYS D'OR ! »

Le Saint Pape, le Grand Roi et les autres Princes des Lys qui doivent régner sur le monde et assurer le triomphe de Dieu et de l'Église. Elle ajoute :

« Les défenseurs de la Foi seront couverts par la protection du Ciel ».

La Race des Rois de France étant celle de David — donc Celle même de Notre-Seigneur et de la Vierge Immaculée, il est normal que ce soit cette race — divine en un de ses Membres — qui soit appelée à régner sur le monde, lors du grand triomphe de l'Église.

Mais revenons à Marie-Julie et à l'avenir de la Fraudais et de l'Œuvre de la Croix.

« Il sera élevé ici un sanctuaire à la Croix et à Marie Immaculée. Ce lieu sera vénéré par tous. J'y guérirai et le corps et l'âme par une eau vive » et Notre-Seigneur fait la description du futur sanctuaire et de la fondation miraculeuse (35).

Marie-Julie sur son lit de mort,
revêtue du costume de tertiaire de Saint François

Enfin, le 23 février 1880, est annoncé un livre sur *« la grande doctrine »* qui a été inspirée à la pieuse stigmatisée, celle de la Croix. Livre qui ne pourra évidemment être écrit après étude de toutes les extases, que par un théologien apte à en extraire et à en exposer avec l'autorité voulue et dans toute sa transcendante ampleur la doctrine de la Croix.

Pour finir, je vous répéterai le conseil du Docteur Imbert-Gourbeyre : « Quand il surgit quelque part une nouvelle stigmatisée, de grâce ne lui jetez pas tout d'abord sans raison l'insulte et la moquerie, vous pourriez vous tromper ; suivez en cela

35 — Extases des 14 août 1875 — 22 janvier 1878 où est annoncée également une fondation religieuse : « J'enfermerai les Pères de la Croix et les orphelins de père, et des veuves. Autour du sanctuaire, d'où auront fui tous les bruits du monde, je veux faire des cloîtres de serviteurs et de vierges ».
Dans l'extase du 9 février 1878, Notre-Seigneur précise :
« La France entière viendra d'abord s'abriter sous l'arbre de la Croix ; puis l'univers entier comprendra et viendra. Voici la fontaine... »

les règles de la prudence vulgaire. Si la stigmatisée est réelle, si le sujet est d'une grande piété, il mérite respect et considération. Cette stigmatisée est probablement une blessée du Christ. Demandez à Dieu qu'elle se soutienne et persévère jusqu'à la fin dans sa voie extraordinaire ; faites comme les premiers chrétiens qui priaient pour les martyrs, afin qu'ils n'eussent aucune défaillance dans le combat suprême. Puis laissez grandir le fait surnaturel sous les yeux de l'autorité ecclésiastique. Il faut, pour le juger, qu'il évolue complètement. La sainteté en est le seul critère. Les stigmates, les extases, les dons extraordinaires n'ont de valeur que s'ils viennent de Dieu, an ex Deo sint».

Ce conseil, Pie XII, de très sainte mémoire, l'aurait approuvé. Ce n'est certes pas ce grand et Saint Pape qui aurait étouffé les Messages du Ciel. Il comprenait la réalité et la profondeur de la vie mystique et considérait que, dès l'instant que dans un fait mystique avec ou sans révélation rien ne contredisait la doctrine catholique ou la morale, le devoir était d'étudier le cas. Lui-même — en tant qu'Évêque de Rome — lors des Apparitions des Trois Fontaines, sans attendre que l'Église se prononçât, permit «*motu proprio*» que le lieu des apparitions fut aussitôt transformé en oratoire et voulut que les fidèles pussent s'y rendre en pèlerinage et y trouver des prêtres pour recevoir les secours spirituels qu'ils étaient en droit d'y trouver...

Pie XII était un vrai Père spirituel...

Le fait surnaturel concernant Marie-Julie a évolué complètement ; il est de bon aloi. Le critère de la Sainteté est venu confirmer qu'il est bien d'origine divine.

La tombe de Marie-Julie au cimetière de Blain

APPENDICES

I — Notre Dame des Lys

Le mardi 23 juin 1936, une jeune fille de Blain avait apporté à Marie-Julie un lys qui avait été déposé devant le T. S. Sacrement à l'église paroissiale pendant la journée de la Fête-Dieu. Ce lys fut placé entre les bras de la grande statue de Notre-Dame de Lourdes couronnée qui domine le chevet de Marie-Julie et y demeura pendant toute l'extase.

Au cours de celle-ci, la Très Sainte Vierge, répondant à une offrande totale de Marie-Julie faite en son nom et en celui de tous ses amis, dit :

— « En récompense, j'ai dans mes bras cette belle fleur blanche qui rappelle la plus belle de mes vertus… éparpillez cette fleur sans tache… Emportez-en chacun une parcelle dans vos demeures, c'est Moi-même que vous emporterez, la Reine des Lys, la Reine de la Paix, la Reine des Prodiges, la Reine des Miracles ».

Puis, à la fin de l'extase, lors des dernières bénédictions, La T. S. Vierge dit à Marie-Julie : « Donne une petite parcelle (du lys) à tous mes petits enfants, c'est la fleur de Jésus, au parfum délicieux béni sur la terre… Il faut beaucoup de lys pour Jésus ».

Les personnes présentes eurent l'impression que le lys déposé entre les bras de Notre-Dame de Lourdes pendant l'extase y avait repris la même fraîcheur que s'il venait d'être coupé.

Le mardi 2 février 1937, fête de la Purification de la T. S. Vierge, au cours de son extase particulière du matin, Marie-Julie la remerciait pour toutes les grâces de protection dans les accidents, de préservation dans des accidents et de guérisons accordées à des personnes qui avaient eu recours aux parcelles du lys. La T. S. Vierge confirma alors ses paroles du 23 Juin précédent, lorsque Notre-Seigneur l'interrompit en disant : « Souvenez-vous ma Mère, que j'y avais mis ma bénédiction avant la vôtre». Puis la T. S. Vierge reprit :

« Ce lys, je l'ai béni après mon divin Fils, il fera beaucoup de merveilles... » et Elle demanda à Marie-Julie de La faire invoquer sous le nom de Notre-Dame des Lys.

Le surlendemain, 4 février, au cours de l'extase habituelle, la Très Sainte Vierge prononça les paroles suivantes :

« Petits amis, donnez-moi ce nom : Mère de pureté, Lys de pureté sans tache. Répandez mon amour sur la terre par ce lys qui a adoré Jésus au Saint Tabernacle, par ce beau Lys où Jésus a mis ses grâces les plus pures, les plus embrasées d'amour. Je ferai beaucoup de grâces, je ferai même des prodiges, je rendrai la santé aux malades par l'attouchement de ce beau lys de pureté »... « O petits enfants de la terre, venez à mon cœur, invoquez-moi Notre-Dame des Lys, Mère de puissance, Mère de prodiges... »

Marie-Julie dit alors :

« Cela ne m'étonne plus, bonne Mère du Ciel, que des pluies de grâces aient débordé de votre cœur pour retomber sur ce lys que vous avez arrosé de vos faveurs, ce lys dont vous distribuez les blanches corolles pour nous encourager à recourir à vous, nous incliner (à la confiance) pour nous dire que ce lys nous portera au ciel, comme il a porté la Très Sainte Vierge avec ses belles vertus, dans le royaume de son Divin Fils pour l'aimer, l'adorer éternellement. Jésus a dit bien des fois : « Mère, donnez vos grâces à vos petits enfants de la Terre, je donne les miennes, je les mêle aux vôtres, les vôtres aux miennes, n'est-ce pas la même chose, de sorte que cela fait deux grandes bénédictions qui découlent sur eux de ce lys béni ; leurs yeux ne les voient pas, mais les yeux de l'âme, leurs âmes n'y sont pas insensibles... »

Bénédictions et promesses furent renouvelées à plusieurs reprises, notamment :

Le 8 avril 1937, par la Très Sainte Vierge :

« O, mes petits enfants, je vous bénis de tout mon cœur, je vous bénis avec le Cœur de Notre-Dame des Lys ».

Le 10 juin 1937, par Notre-Seigneur :

« Petits amis, Je donne à vos fleurs de Lys la même bénédiction que j'ai donnée à ceux qui vous ont protégés et qui vous ont fait trouver le nom si cher à ma Douce Mère de « *Notre Dame des Lys* », répandez-les... Je ferai des miracles, Je ferai des prodiges inouïs (par eux) pour mes élus sur la Terre... »

et encore le 18 juillet 1939 :

« Je bénis les lys et je leur donne ma puissance pour soulager la pauvre souffrance ».

Dans une extase, Notre-Seigneur ayant parlé des roses, des violettes, etc... présentées aux extases et qui y recevaient des bénédictions et des grâces, a ajouté que néanmoins c'était aux lys, comme étant sa fleur privilégiée, que la Très Sainte Vierge réservait' ses plus grands bienfaits.

Les oignons des lys qui se trouvaient dans le petit enclos derrière la chaumière de Marie-Julie, ont été enlevés sur sa demande le 8 décembre 1938 ; ils ont été bénis par Notre-Seigneur les uns à l'extase de ce même jour, les autres au Chemin de Croix du lendemain.

Notre-Seigneur a promis que les Lys issus de ces oignons seraient bénis dès leur sortie de terre et qu'il suffirait d'en présenter les fleurs ou les pétales devant le Saint-Sacrement exposé pour qu'ils jouissent des mêmes bénédictions et privilèges que les précédents et qu'ainsi pourrait être assurée et continuée la dévotion à Notre-Dame des Lys après la mort de Marie-Julie.

Les éditeurs déclarent se soumettre aux réserves prescrites par Urbain VIII et aux décisions futures de la Sainte Église.

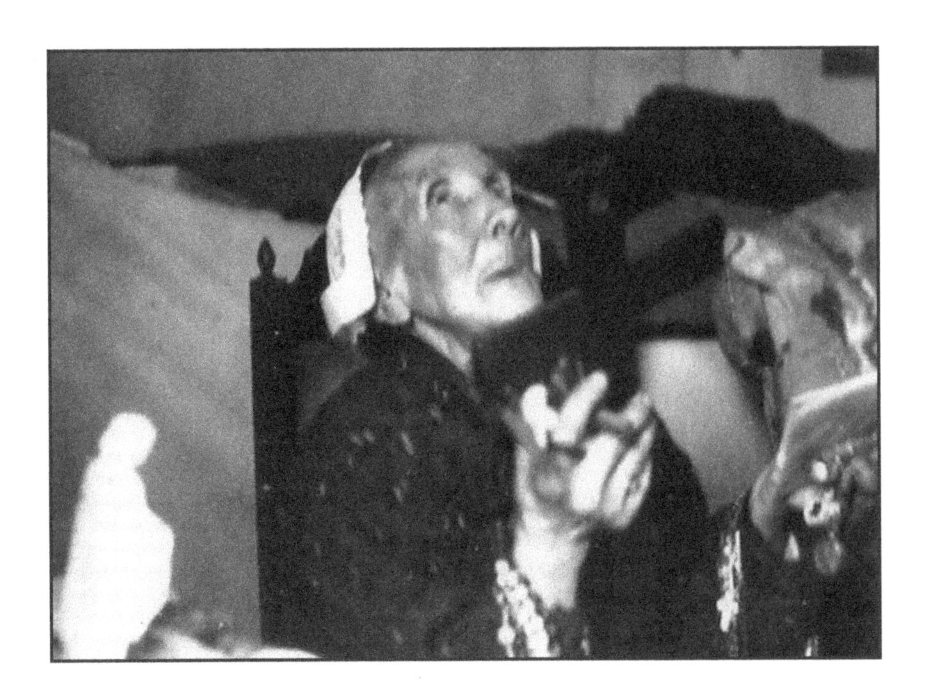

II — Remèdes au cours des châtiments

À LIRE ATTENTIVEMENT

Dieu ne frappe jamais sans prévenir. Il nous a envoyé sa Sainte Mère qui est venue pleurer à La Salette, on n'a pas voulu l'écouter ni même : la croire.

Dieu va donc sévir sans exemple sur tout l'univers ; avant Il a indiqué à Marie-Julie, qui est stigmatisée et très estimée par certains évêques de Nantes, les moyens naturels et surnaturels pour nous protéger. Avoir des cierges bénits pour les jours où il y aura des ténèbres.

Prière à la Sainte Croix pendant les grandes calamités.

Je te salue, je t'adore, je t'embrasse, ô Croix adorable de mon Sauveur. Protège-nous, garde-nous, sauve-nous. Jésus t'a tant aimée, à Son exemple je t'aime. Ta sainte image calme mes frayeurs ; je ne ressens que paix et confiance.

PRIÈRE À LA CROIX pendant les grands orages.

O Crux Ave, spes unica « Et Verbum caro factum est ».

(O Jésus, vainqueur de la mort, sauvez-nous).

PAROLES DE NOTRE SEIGNEUR À MARIE-JULIE au cours d'une extase.

« Une médaille de mon Divin Cœur. — Une médaille où est tracée ma croix adorable. — Vous tremperez dans un verre d'eau ces deux images, soit en carton, soit en métal ».

« Vous boirez de cette eau deux fois bénite, deux fois purifiée. Une seule goutte dans vos aliments, une toute petite goutte suffira pour éloigner non pas le fléau, mais les fléaux de ma Justice ».

« Vous donnerez une goutte de cette eau aux pauvres âmes atteintes par les fléaux de maladies inconnues ».

« Pour dissiper toute crainte et toute frayeur vous ferez toucher à vos fronts l'image ou la douce médaille de Marie Immaculée. Vos esprits resteront calmes. Vos intelligences ne craindront pas l'approche de la terreur des hommes. Elles ne ressentiront pas les effets de ma Grande Justice ».

Vous emploierez en infusion l'herbe de St Jean (*lierre terrestre*), surtout dans les crises, les souffrances de la poitrine et les violents maux de tête. « L'*aubépine*, dans le choléra ». Dans les fièvres inconnues, l'humble *violette*, parfum et vertu d'humilité aura son effet ».

Dans la PESTE MORTELLE « Il n'y aura qu'un seul remède pour se protéger : ce sera d'avaler, écrit sur un papier très mince :

« O JÉSUS, VAINQUEUR DE LA MORT, SAUVEZ-NOUS.

O Crux ave ».

BIBLIOGRAPHIE
concernant Marie-Julie

Docteur Imbert-Gourbeyre

— *Une amie de Notre-Dame du Bon Conseil: Marie-Julie Jahenny, la stigmatisée de La Fraudais ;* (Annales de Notre-Dame du Bon Conseil - n° 50 Janvier 1895).

— *La stigmatisation l'extase divine et les miracles de lourdes réponse aux libres Penseurs, 2 vol. ;* chez Bellet (Clermont-Ferrand - 1895).

Cette étude fondamentale du Professeur à la Faculté de Médecine de Clermont-Ferrand à la suite des études qu'il avait faites sur Marie-Julie, ayant été désigné par l'Autorité Religieuse pour étudier et surveiller le cas.

Le tome II étudie fréquemment la stigmatisée et les extases de la Fraudais.

Pierre Ragot

— *La stigmatisée de Blain : Marie-Julie Jahenny ; chez l'Auteur, 31 rue d'Avenières (Laval, 1940).*

Cette étude remarquable mériterait d'être rééditée. Illustrée.

Jacqueline Bruno

— *Quelques souvenirs sur Marie-Julie, la stigmatisée de Blain ;* Editions du Courrier de Saint Nazaire illustrée (1941).

Pierre Roberdel

— *Marie-Julie Jahenny, la stigmatisée de Blain, illustré ;*Editions Résiac (1972).

— *Le ciel en colloque avec Marie-Julie, illustré ;* Editions Résiac (1973).

— *Les prophéties de La Fraudais, illustré;* Editions Résiac (1974).

*

ACHEVÉ D'IMPRIMER
POUR LE FÊTE DE LA PRÉSENTATION DE MARIE
LE 21 NOVEMBRE 1977
PAR L'IMPRIMERIE KAYSER
51150 MONTSURS

N° d'imprimeur 125
Dépôt légal 4e trimestre 1977

CPSIA information can be obtained
at www.ICGtesting.com
Printed in the USA
BVHW041654111122
651764BV00005B/154